Fra il 1931 e il 1972 Georges Simenon (Liegi, 1903-Losanna, 1989) ha pubblicato 75 romanzi e 28 racconti dedicati alle inchieste di Maigret.

Questo volume presenta nove racconti, che apparvero (tutti tranne *Jeumont, 51 minuti di sosta!*) su «Paris-Soir Dimanche» dall'ottobre 1936 al gennaio 1937, e che furono poi raccolti, insieme ad altri otto, in un volume dal titolo *Les Nouvelles Enquêtes de Maigret* nel 1944. Simenon aveva cominciato a scrivere racconti polizieschi nel 1929, e (sull'esempio di Conan Doyle e Ellery Queen) aveva quasi subito cercato di creare un investigatore capace di reggere sulle proprie spalle una lunga serie di romanzi e racconti – e solo dopo vari tentativi lo aveva individuato nel commissario Maigret.

Presso Adelphi sono in corso di pubblicazione tutte le opere di Georges Simenon.

Georges Simenon

Rue Pigalle
e altri racconti

TRADUZIONE DI ANNAMARIA CARENZI VAILLY

ADELPHI EDIZIONI

I racconti qui radunati sono tratti da *Les Nouvelles Enquêtes de Maigret*

Le inchieste del commissario Maigret escono a cura di Ena Marchi e Giorgio Pinotti

Les Nouvelles Enquêtes de Maigret
© 1944 GEORGES SIMENON LIMITED
All rights reserved

Rue Pigalle e altri racconti
© 2012 ADELPHI EDIZIONI S.P.A. MILANO
WWW.ADELPHI.IT

MAIGRET © GEORGES SIMENON LIMITED
All rights reserved

GEORGES SIMENON® ꟼ Simenon.tm
All rights reserved

ISBN 978-88-459-2740-9

INDICE

La chiatta dei due impiccati   11

Il caso di boulevard Beaumarchais   27

La finestra aperta   43

Il signor Lunedì   59

Jeumont, 51 minuti di sosta!   75

Pena di morte   91

Le lacrime di cera   105

Rue Pigalle   119

Un errore di Maigret   131

RUE PIGALLE
E ALTRI RACCONTI

LA CHIATTA DEI DUE IMPICCATI

Il guardiano della chiusa di Coudray era un tipo smilzo dall'aria triste, con un completo di velluto a coste, i baffi spioventi, lo sguardo sospettoso, un tipo come se ne incontrano tanti fra gli intendenti di grandi proprietà. Non c'era differenza, per lui, tra Maigret e le altre cinquanta persone – gendarmi, giornalisti, poliziotti di Corbeil e membri della procura – a cui da due giorni ripeteva la sua storia. E, mentre la raccontava, non perdeva d'occhio, a monte e a valle, la superficie verdastra della Senna.

Era novembre. Faceva freddo, e un cielo tutto bianco, di un bianco glaciale, si specchiava nell'acqua.

« Mi ero alzato alle sei per accudire mia moglie... ». Maigret pensò che sono sempre i brav'uomini dagli occhi tristi ad avere una moglie inferma da accudire. « Già mentre accendevo il fuoco mi era sembrato di sentire qualcosa... Ma solo dopo, mentre preparavo il cataplasma, al piano di sopra, mi sono reso conto che c'era qualcuno che gridava... Allora sono tornato giù... Arrivato alla chiusa, ho intravisto una massa scura contro lo sbarramento...

« "Chi è là?" ho urlato.

« "Aiuto!" mi risponde una voce roca.

« "Cosa diavolo ci fate lì?" chiedo io.

« "Aiuto!" ripete quello.

« Al che prendo la mia barchetta e vado. Ho visto che si trattava dell'*Astrolabe*. Finalmente cominciava a far chiaro e, sul ponte, ho riconosciuto il vecchio Claessens. Ci scommetto che era ancora sbronzo, e che non lo sapeva neanche lui come accidenti era finita la sua chiatta contro lo sbarramento. Il cane era slegato, sicché gli ho detto di tenerlo...

« Tutto qui... ».

Quel che importava, per lui, era che una chiatta si fosse incagliata contro la sua chiusa, col rischio, se la corrente fosse stata più impetuosa, di sfondarla. Ma che a bordo, oltre al vecchio cavallante ubriaco e a un grosso cane da pastore, avessero trovato anche due cadaveri, un uomo e una donna impiccati, non era più affar suo.

L'*Astrolabe*, dopo essere stata disincagliata, era ancora lì, a centocinquanta metri, sotto la sorveglianza di un gendarme che si scaldava camminando su e giù per l'alzaia. Era una vecchia chiatta senza motore, una *scuderia*, come vengono chiamate le imbarcazioni con i cavalli a bordo che navigano soprattutto sui canali. I ciclisti, passando, si voltavano a guardare quello scafo grigiastro che da due giorni era su tutti i giornali.

Come al solito, quando un caso veniva affidato a Maigret non c'erano più nuovi indizi da raccogliere. Dell'inchiesta si erano occupati tutti, e i testimoni erano già stati interrogati cinquanta volte, prima dalla gendarmeria, poi dalla polizia di Corbeil, dai magistrati e dai reporter.

« Vedrà che è stato Émile Gradut! » gli avevano detto.

E Maigret, dopo aver torchiato Gradut per due ore,

era tornato sul luogo del delitto e, con le mani affondate nelle tasche del pesante cappotto e l'aria imbronciata, contemplava il paesaggio uggioso come se fosse intenzionato a comprarsi un lotto.

A interessarlo non era la chiusa di Coudray, dove la chiatta era andata a incagliarsi, ma la chiusa della Citanguette, all'estremo opposto di quel tratto di canale, otto chilometri a monte.

Stesso scenario. I borghi di Morsang e di Seine-Port erano abbastanza lontani, sulla sponda opposta. Per cui si vedevano solo le acque tranquille del fiume, orlate di boschi cedui e interrotte qua e là da una vecchia cava di sabbia.

Alla Citanguette, però, c'era un bistrot, sicché le barche facevano di tutto pur di fermarsi lì per la notte. Un autentico bistrot per marinai, dove si vendevano pane, conserve, salame, cordami e avena per i cavalli.

E fu lì, si può dire, che Maigret, senza darlo a vedere, condusse in realtà la sua inchiesta: fermandosi di tanto in tanto a bere un goccetto, sedendosi vicino alla stufa, andando fuori a fare quattro passi, sotto lo sguardo rispettoso nonché velatamente ironico della padrona, una bionda quasi albina.

Dei fatti di mercoledì sera, ecco quel che si sapeva. Al calare del buio, l'*Aiglon VII*, un piccolo rimorchiatore dell'alta Senna, aveva condotto le sue sei chiatte, come fa la chioccia con i pulcini, alla chiusa della Citanguette. Cadeva una pioggia fine. Ormeggiate le barche, gli uomini si erano ritrovati come sempre al bistrot per l'aperitivo, mentre il guardiano della chiusa riponeva le sue manovelle.

L'*Astrolabe* era spuntato dietro la curva solo mezz'ora dopo, quando l'oscurità era già fitta. Il vecchio Arthur Aerts, il padrone, era al timone, mentre Claessens, con il frustino in spalla, procedeva sull'alzaia davanti ai cavalli.

Poi l'*Astrolabe* aveva attraccato dietro il convoglio e Claessens aveva ricoverato i cavalli. Fin lì, insomma, nessuno aveva badato a loro.

Quando Aerts e Claessens avevano fatto il loro ingresso nel bistrot e preso posto davanti alla stufa, erano almeno le sette e avevano già tutti finito la minestra. Il padrone dell'*Aiglon VII* stava tenendo banco e i due vecchi non aprirono bocca. La padrona albina, con un neonato in braccio, servì a entrambi quattro o cinque grappini, senza far troppo caso a loro.

Lì era così che andavano le cose, Maigret adesso lo sapeva. Più o meno si conoscevano tutti. Chi entrava accennava un saluto, poi, senza una parola, si sedeva a un tavolo... Capitava ogni tanto che entrasse anche una donna, ma era per far provviste per l'indomani, dopodiché diceva al marito, occupato a bere:

«Non fare troppo tardi...».

Così era successo con la moglie di Aerts, Emma, che aveva comprato pane, uova e un coniglio.

Da quel momento in poi, ogni dettaglio acquistava un'importanza capitale, ogni testimonianza diventava estremamente preziosa. Perciò Maigret insisteva.

«È sicura che verso le dieci, quando se n'è andato, Arthur Aerts fosse ubriaco?».

«Ubriaco fradicio, come al solito...» gli rispose la padrona. «Era un belga, un brav'uomo in fondo: si sedeva nel suo angolino senza aprir bocca e beveva finché gli restava giusto la forza per tornarsene a bordo...».

«E Claessens, il cavallante?».

«A quello non gli basta mai. È rimasto un altro quarto d'ora, poi se n'è andato. Ma prima è tornato indietro per prendersi il frustino che si era scordato...».

Fin lì, tutto bene. Era facile immaginare la riva della Senna, di notte, a monte della chiusa, il rimorchiatore in testa, le sei chiatte dietro, poi quella di Aerts – ognuna con la sua lanterna da scuderia, il tutto sotto una pioggia fine e incessante.

Verso le nove e mezzo, Emma tornava a bordo con le provviste. Alle dieci rientrava anche Aerts, ubriaco fradicio, come diceva la padrona del bistrot. E alle dieci e un quarto il cavallante si avviava finalmente verso l'*Astrolabe*.

«Aspettavo solo che se ne andasse via lui per chiudere, perché i battellieri vanno a letto presto e non c'era più nessuno...».

Gli elementi concreti, verificabili, finivano lì. Dopodiché si entrava nel vago. Alle sei del mattino, il padrone del rimorchiatore constatava con stupore che l'*Astrolabe* non era più dietro le sue chiatte, e poco dopo si accorgeva che gli ormeggi erano stati tagliati.

Nello stesso momento, il guardiano della chiusa di Coudray, mentre accudiva la moglie, udiva le grida del vecchio Claessens, dopodiché trovava la chiatta incagliata contro lo sbarramento.

Il cane, sul ponte, era slegato. Il cavallante, svegliato qualche istante prima dall'impatto, non sapeva niente e sosteneva di aver dormito tutta la notte nella sua scuderia, come sempre.

Sennonché a poppa, nella cabina, veniva trovato Aerts impiccato, e non con una corda, bensì con la catena del cane. Poi, dietro la tenda che dissimulava il lavabo, veniva trovata sua moglie, Emma, impiccata con un lenzuolo strappato dal letto.

E non era tutto: al momento di mettere in moto, il padrone del rimorchiatore *Aiglon VII* chiamava invano il suo guidatore, Émile Gradut, e ne constatava la scomparsa.

«È stato Gradut...».

Ci avrebbero messo tutti la mano sul fuoco, e la sera stessa i giornali erano usciti con sottotitoli del tipo: *Gradut avvistato nei dintorni di Seine-Port... Caccia all'uomo nel bosco di Rougeau... Il gruzzolo del vecchio Aerts resta introvabile...*

Che il vecchio Aerts possedesse un gruzzolo, infatti, era stato confermato da tutti i testimoni, i quali concordavano perfino sull'ammontare: centomila franchi. Come mai? Era una storia lunga, o meglio, era una storia semplicissima. Aerts, che aveva sessant'anni e due figli grandi e ammogliati, aveva sposato Emma in seconde nozze, ed Emma, una rude strasburghese, aveva solo quarant'anni.

Fatto sta che i due erano ai ferri corti. A ogni chiusa, Emma si lamentava dell'avarizia del vecchio, che le scuciva a malapena quanto bastava per mangiare.

«Non so nemmeno dove tiene i soldi!» diceva. «Vuole che, se lui muore, vada tutto ai suoi figli... E a me tocca ammazzarmi a curarlo, a guidare la chiatta; per non parlare poi...».

E non lesinava i particolari cinici, a volte davanti allo stesso Aerts, mentre lui, cocciuto, si limitava a scuotere la testa; e aspettava che lei se ne andasse per mormorare:

«Mi ha sposato solo per i miei centomila franchi, ma rimarrà fregata...».

«Come se i suoi figli avessero bisogno di quei soldi per vivere...» commentava Emma.

In effetti Joseph, il maggiore, era proprietario di un rimorchiatore ad Anversa, e Théodore aveva comprato con l'aiuto del padre una bella chiatta a motore, la *Marie-France*, che era appena stata allertata mentre faceva scalo a Maastricht, in Olanda.

«Ma li troverò, i suoi centomila franchi...».

Emma era capace di confidare queste cose al primo venuto, così, di punto in bianco, spiattellando i dettagli più intimi sul vecchio marito, e concludendo con aria sprezzante:

«Non si aspetterà mica che una giovane come me lo faccia per amore...».

E lo tradiva. Le testimonianze erano irrefutabili. Anche il padrone dell'*Aiglon VII* era al corrente.

«Io dico solo quello che so... Di sicuro quei quindici giorni che abbiamo fatto sciopero a Alfortville, e l'*Astrolabe* era lì a caricare, Émile Gradut andava spesso da lei, anche in pieno giorno...».

E allora?

Émile Gradut, di anni ventitré, era un mascalzone, su questo non c'erano dubbi. Era stato effettivamente arrestato dopo ventiquattr'ore, morto di fame, nel bosco di Rougeau, a meno di cinque chilometri dalla Citanguette.

«Non ho fatto niente!» aveva urlato ai gendarmi cercando di parare i colpi.

Un mascalzoncello vizioso, antipatico, che Maigret aveva tenuto nel suo ufficio per due ore e che si era limitato a ripetere, ostinato:

«Non ho fatto niente...».

«Allora perché te ne sei andato?».

«Sono affari miei!».

Il giudice istruttore, convinto che Gradut avesse nascosto il gruzzolo nel bosco, aveva disposto nuove ricerche, che però erano risultate vane.

C'era, in tutta quella faccenda, qualcosa d'infinitamente triste, come il fiume che da mattina a sera rifletteva lo stesso cielo, come quei convogli di barche che si annunciavano a colpi di sirena (uno per ogni chiatta rimorchiata) e che sfilavano ininterrottamente attraverso la chiusa. Poi, mentre le donne, sul ponte, si occupavano dei marmocchi sorvegliando la manovra, gli uomini salivano fino al bistrot, buttavano giù un bicchierino e riscendevano col passo pesante.

«Caso risolto!» aveva dichiarato un collega a Maigret.

Eppure il commissario, di umore uggioso come la Senna, uggioso come un canale sotto la pioggia, era tornato alla chiusa e non riusciva più a scollarsene.

Va sempre così: quando un caso sembra fin troppo chiaro, nessuno si prende la briga di approfondire la questione. Per tutti era stato Gradut, e la parte del colpevole gli calzava così a pennello da diventare un'ovvietà.

Ciò non toglie che erano arrivati i risultati delle due autopsie, e le conclusioni dell'anatomopatologo erano sorprendenti. Per Arthur Aerts, il dottor Paul scriveva:

«... Lieve trauma alla base del mento... Dallo stato di rigidità del cadavere e dal contenuto dello stomaco, si può stabilire che il decesso per strangolamento sia avvenuto tra le dieci e le dieci e mezzo...».

Ora, Aerts era tornato a bordo alle dieci. Secondo la padrona albina, Claessens l'aveva seguito un quarto d'ora dopo, e questi sosteneva di esser andato dritto nella sua scuderia.

«C'era la luce accesa nella cabina degli Aerts?».

«Non saprei...».

«Il cane era slegato?».

Il povero vecchio ci aveva pensato su un bel po', ma aveva concluso con un gesto d'impotenza. No! Non ne aveva la minima idea... Non ci aveva fatto caso... Poteva forse prevedere che, proprio quella sera, ogni suo gesto avrebbe assunto a posteriori un'importanza capitale? Era sempre mezzo sbronzo. Dormiva vestito, sulla paglia, avvolto dall'odore caldo del suo cavallo e della sua giumenta...

«Ha sentito qualche rumore?».

Non lo sapeva! Non poteva saperlo! Si era addormentato, e al suo risveglio si era ritrovato in mezzo al fiume, contro lo sbarramento...

Qui, però, c'era una testimonianza. Ma era affidabile? Si trattava di una dichiarazione della signora Couturier, la moglie del padrone dell'*Aiglon VII*. Il commissario centrale di Corbeil l'aveva interrogata come gli altri, prima di permettere al convoglio di proseguire la navigazione verso il canale del Loing. Maigret aveva in tasca il rapporto.

Domanda: «Ha sentito niente stanotte?».

Risposta: «Non potrei metterci la mano sul fuoco...».

Domanda: «Mi dica quello che ha sentito...».

Risposta: «È stato talmente vago... A un certo punto mi sono svegliata e ho guardato l'ora sulla sveglia... Erano le undici meno un quarto... Mi è sembrato di sentire delle voci vicino alla chiatta...».

Domanda: «Le ha riconosciute?».

Risposta: «No! Ma ho pensato che fosse Gradut che s'incontrava con Emma... Devo essermi riaddormentata subito...».

Si poteva tenerne conto? E, quand'anche fosse la verità, che cosa provava?

Quella notte, un rimorchiatore, le sue sei chiatte e l'*Astrolabe* dormivano a monte della chiusa, e...

Per quanto concerneva Aerts, il rapporto era chiaro: morto per strangolamento fra le dieci e le dieci e mezzo.

Le cose, invece, si complicavano con il secondo rapporto del dottor Paul, quello che riguardava Emma.

«... La guancia sinistra presenta delle ecchimosi che potrebbero essere state provocate da un oggetto contundente, o da un violento pugno... Il decesso, avvenuto per asfissia tramite impiccagione, risale all'una del mattino circa...».

E Maigret sprofondava sempre più nella vita lenta e greve della Citanguette, come se solo lì riuscisse a riflettere. Vedendo una chiatta a motore che batteva bandiera belga, pensò a Théodore, il figlio di Aerts, che ormai doveva essere a Parigi.

La bandiera belga gli fece anche venire in mente il ginepro: sul tavolo della cabina era stata trovata una bottiglia di acquavite di ginepro mezza vuota. Qualcuno aveva rovistato la cabina da cima a fondo, e persino strappato la tela dei materassi, spargendone l'imbottitura.

Per cercare i centomila franchi, ovviamente!

« È tutto chiaro! » dichiaravano gli inquirenti. « Émile Gradut ha ucciso Aerts ed Emma... Quindi si è ubriacato e ha cercato il gruzzolo, che ha poi nascosto nel bosco... ».

Sennonché... Eh sì! Sennonché il dottor Paul, effettuando l'autopsia di Emma, aveva trovato nel suo stomaco tutto l'alcol che mancava dalla bottiglia!

E allora? Dal momento che era stata Emma a bere il ginepro, non poteva esser stato Gradut!

« Perfetto! » ribattevano gli inquirenti. « Gradut, dopo aver ucciso Aerts, per sopraffare più facilmente la moglie – la quale, non dimentichiamolo, era una donna robusta – l'ha fatta ubriacare... ».

Sicché, stando al loro ragionamento, Gradut e la sua amante sarebbero rimasti entrambi sulla chiatta dalle dieci o dieci e mezzo, ora della morte di Arthur Aerts, fino a mezzanotte o l'una, ora della morte di Emma...

Ovviamente, era possibile... Tutto era possibile... Solo che Maigret – come dire? – si sforzava di immedesimarsi negli abitanti di quel mondo, di pensare come uno di loro.

Con Émile Gradut non era stato più tenero di quelli che lo avevano preceduto. Lo aveva tenuto sulla graticola per due ore, girandolo e rigirandolo in tutti i sensi. Per cominciare, ci aveva provato con le buone, come dicono al Quai des Orfèvres.

«Senti, caro mio... Ci sei dentro fino al collo, su questo non ci piove... Ma, a dire il vero, io non credo che tu li abbia uccisi tutti e due...».

«Non ho fatto niente!».

«Emma, poi, non l'avresti toccata, visto che era la tua amante...».

«Sta perdendo tempo! Non ho fatto niente...».

Dopodiché Maigret era passato alle maniere forti, e anche alle minacce.

«Ah sì?... Be', la vedremo, quando sarai sulla chiatta insieme ai due cadaveri!...».

Ma di fronte alla prospettiva di una ricostruzione del crimine Gradut non aveva battuto ciglio.

«Quando vuole... Io non ho fatto niente...».

«Aspetta che troviamo dove hai nascosto il malloppo...».

Allora Émile Gradut aveva abbozzato un sorriso... un sorriso di compassione... un sorriso talmente superiore...

Quella notte alla Citanguette si fermarono solo una chiatta a motore e una scuderia. A valle, vicino alla chiusa, un gendarme montava ancora la guardia sul ponte dell'*Astrolabe*, e si stupì non poco quando Maigret, salendo a bordo, gli annunciò:

«Non faccio in tempo a tornare a Parigi... Dormirò qui...».

Si sentiva lo sciabordio dolce dell'acqua contro lo scafo, poi i passi del gendarme che, per paura di addormentarsi, camminava su e giù per il ponte. Quel poveretto non tardò a chiedersi, peraltro, se il commissario non stesse diventando matto: i due cavalli liberi nella stiva non avrebbero fatto più fracasso di lui, lì dentro da solo.

« Scusi, figliolo... ».

Era Maigret che emergeva dal boccaporto.

« Potrebbe procurarmi una pala? ».

Trovare una pala, alle dieci di sera, in un posto simile! A ogni modo, il gendarme svegliò il guardiano dall'aria triste. E il guardiano, che coltivava un orto, aveva una pala.

« Ma a cosa diavolo gli serve? ».

« Non lo chieda a me... ».

E si scambiarono uno sguardo significativo. Maigret se ne tornò dentro la cabina con l'attrezzo, e il gendarme cominciò a udire dei colpi sordi che andarono avanti per più di un'ora.

« Senta, figliolo... ».

Era ancora Maigret che, sudato e col fiatone, sporgeva la testa dal boccaporto.

« Vada a fare una telefonata per me... Ho bisogno che il giudice istruttore venga domattina presto, e che faccia portare qui Émile Gradut... ».

Con un'aria più lugubre che mai, il guardiano della chiusa pilotò il giudice verso la chiatta, mentre Gradut seguiva tra due gendarmi.

« No... Non so niente, le assicuro... ».

Maigret stava dormendo, nel letto degli Aerts! Non si scusò nemmeno, e non parve far caso allo stupore del giudice di fronte allo spettacolo che offriva la cabina: l'impiantito era stato sollevato e lasciava intravedere lo strato di cemento sottostante, divelto a sua volta a colpi di pala. Il caos era totale.

« Venga, signor giudice... Mi sono coricato molto tardi e non ho neanche avuto il tempo di darmi una lavata... ».

Maigret si accese la pipa. Aveva trovato da qualche parte delle bottigliette di birra, e si versò da bere.

« Entri, Gradut... E adesso... ».

«Già, adesso?» lo incalzò il giudice.

«È molto semplice» dichiarò Maigret tirando una boccata. «Adesso le spiego che cosa è successo l'altra notte. Vede, c'è una cosa che mi ha colpito fin dall'inizio: ed è che il vecchio Aerts sia stato trovato impiccato con una *catena*, e sua moglie con un *lenzuolo*...».

«Non capisco...».

«Fra poco capirà. Provi a cercare negli archivi della polizia, e le garantisco che non troverà nemmeno un caso, non uno, in cui un uomo si sia impiccato con un fil di ferro o con una catena... Sembrerà strano, ma è così... In genere chi si suicida è un po' delicato, e l'idea degli anelli che gli stritolano la gola e gli pinzano la pelle del collo...».

«Quindi Arthur Aerts è stato ammazzato?».

«Già: è la mia conclusione. Oltretutto, il trauma all'altezza del mento corrisponderebbe all'urto della catena che l'assassino, da dietro, gli ha passato al collo, approfittando del fatto che fosse ubriaco...».

«Non capisco...».

«Aspetti! La moglie invece, noti bene, è stata trovata impiccata con un lenzuolo arrotolato... Non con una corda, che non è certo quel che manca a bordo di un'imbarcazione!... No! Con un lenzuolo: ovvero il modo più dolce, se me lo concede, di impiccarsi...».

«Vale a dire?».

«Che si è impiccata da sola... Tanto che ha avuto bisogno, per farsi coraggio, di buttar giù mezzo litro di ginepro, lei che era astemia... Rammenta i rapporti del medico legale?...».

«Sì, rammento...».

«Quindi, un omicidio e un suicidio: il primo commesso alle dieci e un quarto circa, il secondo tra mezzanotte e l'una... A questo punto, diventa tutto molto semplice...».

Il giudice lo guardava con una certa diffidenza, Émile Gradut con un'aria fra il curioso e l'ironico.

« Da molto tempo, » proseguì Maigret « Emma, che non ha ottenuto ciò a cui mirava sposando il vecchio Aerts e che è innamorata di Émile Gradut, ha un'ossessione: impossessarsi del gruzzolo e filarsela con l'amante... Ed ecco che le si presenta l'occasione... Aerts entra ubriaco fradicio... Gradut è a pochi passi, a bordo del rimorchiatore... Quando è entrata nel bistrot per fare la spesa, lei si è accorta che il marito è già sbronzo... Allora slega il cane e aspetta, pronta a passargli la catena attorno al collo... ».

« Ma... » obiettò il giudice.

« Dopo! Mi lasci finire... Adesso Aerts è morto... Emma, ebbra del suo trionfo, corre a chiamare Gradut, e qui non dimentichi che, alle undici meno un quarto, la padrona del rimorchiatore sente delle voci vicino all'imbarcazione... Non è così, Gradut? ».

« Sì, è così ».

« La coppia torna a bordo per cercare il gruzzolo, fruga persino dentro il materasso, ma non riesce a trovare quei benedetti centomila franchi... Non è così, Gradut? ».

« Sì, è così ».

« Il tempo passa e Gradut si spazientisce... Scommetto che comincia anche a chiedersi se non si è fatto infinocchiare, se quei centomila franchi esistono davvero... Emma gli giura di sì... Ma a cosa servono, se non si trovano?... Continuano a cercare... Gradut ne ha abbastanza... Sa che lo accuseranno... Vuole fuggire... Emma vuole fuggire con lui... ».

« Ma scusi... » mormorò il giudice.

« Dopo!... Emma vuole fuggire con lui, dicevo, ma dato che Gradut non ha voglia di avere fra i piedi una donna, per di più senza un soldo, si cava d'impaccio sferrandole un pugno in faccia... Poi salta a terra e taglia gli ormeggi della chiatta... Non è così, Gradut? ».

L'uomo, questa volta, ebbe un attimo di esitazione.

« Più o meno, è tutto » concluse Maigret. « Se avessero trovato il gruzzolo, sarebbero fuggiti insieme, oppure avrebbero cercato di far credere al suicidio del vecchio... Siccome non l'hanno trovato, Gradut, in preda al panico, vaga per i campi in cerca di un nascondiglio... Emma, invece, riprende conoscenza mentre la chiatta scivola sull'acqua e il cadavere del marito le dondola accanto... Che speranza le resta, ormai?... Nemmeno quella di fuggire... Bisognerebbe svegliare Claessens per condurre la chiatta alla gaffa... Quindi non c'è più niente da fare! E decide di uccidersi... Solo che, giacché le manca il coraggio, beve, e sceglie un morbido lenzuolo...».

«È così, Gradut?» chiese il giudice fissando il manigoldo.

«Se lo dice il commissario...».

«Però... Aspetti un momento...» ribatté il magistrato. «Chi ci dice che Gradut non abbia trovato i soldi e che, per l'appunto, con l'intenzione di tenerseli...».

Per tutta risposta Maigret scostò col piede qualche pezzo di cemento: in una cavità nascosta lì sotto c'erano un mucchio di monete d'oro belghe e francesi.

«Ha capito adesso?».

«Più o meno...» mormorò il giudice con scarsa convinzione.

E Maigret, riempiendosi un'altra pipa:

«Bisognava saperlo che le vecchie chiatte si riparano con un fondo di cemento... Nessuno me lo aveva detto...».

Poi, di punto in bianco, su un altro tono:

«Il colmo è che le ho contate, e ce n'è davvero per centomila franchi... Una bella coppia, non trova?».

IL CASO DI BOULEVARD BEAUMARCHAIS

Alle otto meno dieci, quando Martin, della polizia dei giochi e delle scommesse, uscì dal suo ufficio, rimase sorpreso nel trovare il corridoio ancora pieno di giornalisti e fotografi. Faceva molto freddo, e alcuni di loro mangiavano un panino con il bavero del cappotto rialzato.

«Maigret non ha ancora finito?» chiese passando.

In fondo al vasto corridoio, invece di imboccare le scale, Martin spinse una porta a vetri. Come tutti gli uffici della Giudiziaria, anche quello era piuttosto mal illuminato. Nel centro della stanza, che era poi l'anticamera della direzione, troneggiava un enorme divano rotondo foderato di velluto rosso. Vi era seduto un uomo, con indosso cappotto e cappello. A pochi passi, due ispettori, in piedi, fumavano una sigaretta, mentre il vecchio usciere stava cenando nel suo gabbiotto di vetro.

Martin si caricò la pipa. Tempo un quarto d'ora e sarebbe stato a casa, a tavola con tutta la famiglia. Se passava di lì a dare un'occhiata, era per semplice curiosità, visto che da due giorni non si parlava d'altro.

« Come va? » chiese sottovoce a uno dei due ispettori.

Questi, sospirando, indicò la seconda porta, quella dell'ufficio di Maigret.

« Con chi è? ».

« Sempre con la cognata... ».

L'uomo sul divano, sentendoli bisbigliare, alzò lentamente la testa e li guardò con occhi cupi, come per esprimere un muto rimprovero. Era un tipo magro e d'aspetto malaticcio, sui quarant'anni, forse un po' meno, con due occhiaie profondissime e un paio di baffetti neri.

« È qui da stamattina... » aggiunse l'ispettore con un soffio di voce.

Proprio in quell'istante Maigret comparve sulla soglia del suo ufficio: attraverso la porta aperta, s'intravide la stanza piena di fumo e, su una poltroncina verde, una figura di donna, giovanissima, bionda.

« Lucas!... » chiamò Maigret, cercando con lo sguardo gli ispettori, quasi facesse ormai fatica a vederci chiaro. « Fa' un salto a prendermi dei panini... Passa dalla brasserie e digli di portar su anche qualche birra... ».

Martin colse l'occasione per stringergli la mano.

« Tutto bene? ».

Maigret, congestionato, aveva gli occhi lucidi e l'aria di chi avrebbe dato chissà cosa per una boccata d'aria fresca.

« Sai che ti dico? » sussurrò il commissario al collega. « Se entro stasera non ho risolto il caso, mollo l'inchiesta... Ti sembra impossibile, eh?... Be', non ce la faccio più a star chiuso lì dentro... ».

L'uomo sul divano, che non poteva udirli, aspettava trepidante, ma il commissario se ne tornò nel suo ufficio, la porta si richiuse e Martin questa volta se ne andò a casa, mentre la lancetta dell'orologio a muro avanzava di un altro minuto e dal corridoio giungevano gli scoppi di voce dei giornalisti.

E dire che, sulle prime, sembrava un caso dei più banali. La domenica precedente, in boulevard Beaumarchais, al quarto piano di un palazzo che al pianterreno ospitava il laboratorio di un fabbricante di pipe, Louise Voivin, ventisei anni, era deceduta all'improvviso manifestando i sintomi tipici dell'avvelenamento.

L'appartamento, signorile, confortevole e potenzialmente allegro, era abitato, oltre che da Louise Voivin, dal marito Ferdinand, mediatore in pietre preziose, e dalla sorella diciottenne della stessa Louise, Nicole.

Ed era proprio Nicole che da parecchie ore si trovava nell'ufficio di Maigret, e che teneva duro, mordicchiando il fazzoletto, nervosa certo, ma ancora lucida malgrado l'atmosfera soffocante.

Sulla scrivania c'era una lampada con un ampio paralume verde che ne schermava la luce. Il viso di Maigret, più alto del paralume, rimaneva in penombra. La ragazza invece, seduta su una poltroncina piuttosto bassa, era illuminata in pieno. Le tende alla finestra non erano state chiuse, e si vedevano le gocce di pioggia scorrere sui vetri scuri e scintillare al riverbero dei lampioni sul lungofiume.

«Adesso ci portano da bere» sospirò Maigret con sollievo.

Il commissario aveva talmente caldo che si sarebbe tolto volentieri gilet e solino, mentre la sua ospite si teneva addosso la pelliccia grigia, e in testa un colbacco della medesima pelliccia, che, con quei capelli di un biondo chiarissimo, le dava un'aria ancora più nordica.

Cosa chiederle che non le avesse già chiesto? Eppure Maigret non si rassegnava a lasciarla andare via. Sentiva confusamente il bisogno di tenerla lì, a portata di mano, mentre il cognato continuava ad aspettare in anticamera.

Per darsi un contegno, sfogliava il fascicolo, come se a furia di rileggere gli stessi particolari potesse venirgli un'ispirazione.

Già nel primo rapporto su quanto era accaduto la domenica, quello della polizia di zona, nonostante la semplicità qualcosa non quadrava.

«... Al quarto piano, in una stanza situata in fondo all'appartamento, troviamo il corpo di Louise Voivin steso a terra. Il dottor Blind, chiamato dalla famiglia mezz'ora fa, dichiara che la donna è morta pochi minuti orsono in preda ad atroci convulsioni e attribuisce senza esitazioni il decesso a un avvelenamento, criminale o accidentale, provocato probabilmente dall'ingestione di una potente dose di digitalina...».

E, un po' oltre:

«... Interrogato il marito, Ferdinand Voivin, di anni trentasette, che sostiene di non saperne nulla... Dichiara altresì che da diversi mesi la moglie dava segni di nevrastenia...

«... Interrogata la sorella di Louise Voivin, Nicole Lamure, di anni diciotto, nata a Orléans, le cui dichiarazioni coincidono con quelle del cognato...

«Interrogata la portinaia, la quale afferma che da tempo Louise Voivin, di salute cagionevole, temeva che qualcuno potesse avvelenarla...».

A proposito, era la domenica di Ognissanti. Cadeva una pioggia gelida, e nell'aria aleggiava il profumo dei crisantemi e l'odore d'incenso delle chiese. Verso sera, il procuratore, fradicio e con le scarpe infangate, arrivò per il suo sopralluogo in boulevard Beaumarchais, dove il laboratorio del fabbricante di pipe era chiuso.

Fin qui, era la drammaticità di routine, l'atmosfera

di quasi tutti i casi. La vera tragedia i giornalisti che aspettavano lì fuori non la sospettavano ancora, perché soltanto adesso, nell'aria surriscaldata del suo ufficio, Maigret l'aveva scoperta.

E pregustava impaziente il refrigerio di una bella birra, evitando nel frattempo di posare lo sguardo sulla ragazza che, con la faccia tirata, fissava un angolo della scrivania.

«Avanti!» gridò il commissario.

Il cameriere della Brasserie Dauphine posò sulla scrivania le birre e i panini, e lanciò un'occhiata alla «cliente» di Maigret.

«Va bene?».

«Sì... Porti qualcosa anche al signore in anticamera!».

Ma Voivin, quando gli fu offerto di che rifocillarsi, scosse la testa come a significare che non ne aveva la forza.

Maigret, in piedi, addentava il panino a grandi morsi, mentre l'ospite sbocconcellava il suo.

«Da quanto tempo erano sposati?».

«Otto anni...».

Una storia banale di gente senza grandi ambizioni. Ferdinand Voivin, piccolo mediatore in pietre preziose, aveva incontrato Louise Lamure, i cui genitori erano proprietari di un negozio di scarpe, a Orléans, dove si era recato per alcune perizie.

«Dunque lei, Nicole, a quell'epoca era una bambina...».

«Avevo dieci anni...».

«Suppongo che allora» cercò di scherzare Maigret «non fosse ancora innamorata di suo cognato...».

«Non lo so...».

Il commissario le lanciò un'occhiata di sbieco, e gli passò la voglia di ridere.

«Sicché, un anno fa, alla morte di vostro padre, sua sorella e suo cognato l'hanno presa in casa...».

«Sì, sono andata a vivere da loro...».

«E quando, per l'esattezza, è diventata l'amante di Voivin?».

«Il 17 maggio...» annunciò lei senza esitazioni, quasi con orgoglio.

«Lo ama?».

«Sì...».

Nel vederla così fiera e appassionata, sarebbe stato lecito immaginarsi un Voivin bello e romantico, capace di ispirare un tale amore. Ora – ed era uno degli aspetti sconcertanti della faccenda –, costui era un uomo così insignificante che occorreva fare uno sforzo per ricordarne la faccia. Persino la sua professione era priva di poesia. Passava metà della sua vita nei caffè di rue La Fayette, dove si teneva la borsa delle pietre preziose, e soltanto da un mese era riuscito a comprarsi un'utilitaria d'occasione. Per giunta, non godeva di buona salute.

«E sua sorella?».

«Mia sorella era gelosa».

«Amava il marito?».

«Non lo so...».

«Cos'ha detto quando vi ha sorpresi insieme?».

«Non ha detto niente... Mi ha scritto... Da allora non ci siamo più rivolte la parola...».

«E quando è stato?».

«Il 2 giugno... Era la terza volta che succedeva...».

«In boulevard Beaumarchais?».

«Sì... In camera mia... Ferdinand credeva che Louise fosse uscita, e invece era in cucina con la donna di servizio...».

«Lei non ha pensato di andare ad abitare altrove?».

«Io avrei voluto... È stata mia sorella a impormi di rimanere...».

«Perché?».

«Per poterci controllare meglio... Diceva che se me ne andavo sarebbe stato troppo facile per suo marito venirmi a trovare di nascosto...».

«E in casa?».

«Non ci lasciava mai soli... Portava sempre delle pantofole di feltro, per avvicinarsi senza far rumore...».

«Come avete fatto a vivere sotto lo stesso tetto per mesi senza rivolgervi la parola?».

«Ci scambiavamo dei bigliettini... Mia sorella scriveva, che so: "Prepara la tua biancheria da lavare per domani...". Oppure: "Non usare la vasca. C'è una perdita..."».

«E Voivin?».

«Era molto infelice... Fin dall'inizio si è rifiutato di dormire in camera con lei e ha sistemato un divano in salotto... Mi ha giurato che non avevano più rapporti...».

Maigret contò sulle dita:

«Giugno... luglio... agosto... settembre... ottobre... Cinque mesi!... Quindi, per cinque mesi, siete andati avanti così?».

Lei annuì, semplicemente, come se fosse stato perfettamente naturale.

«Ferdinand Voivin non le ha mai detto di volersi sbarazzare della moglie?».

«Mai! Lo giuro...».

«E non le ha mai proposto di fuggire insieme?».

«Lei non lo conosce» sospirò la ragazza scrollando la testa. «È un uomo onesto, capisce? È così anche negli affari... Quando ha firmato un contratto, lo rispetta a ogni costo... Chieda a tutti quelli che lavorano con lui...».

«Ciò non toglie che, da diversi mesi, sua sorella aveva il presentimento di una fine imminente... Ha scritto tre lettere a un'amica di collegio, e in tutte e tre parla di avvelenamento...».

«Lo so! Mia sorella era come impazzita. A furia di spiarci... Quasi ogni notte apriva piano piano la porta della mia stanza e, nel buio, sentivo la sua mano che mi toccava la faccia per assicurarsi che fossi nel mio letto, e che fossi sola...».

«E, dal 2 giugno, lei non ha più avuto occasione di appartarsi con Voivin?...».

«Sì, tre o quattro volte, fuori... Ma mia sorella è sempre venuta a saperlo... E ci aspettava sul portone dell'albergo... Mi seguiva dappertutto... Una volta è scesa per strada in pantofole perché non aveva fatto in tempo a mettersi le scarpe».

Maigret aveva visitato l'appartamento, una casa scialba quanto lo stesso Voivin. Si immaginava la vita di quei tre... E tornava continuamente sulle stesse domande, come i cavalli di una giostra che girano sempre in tondo senza mai trovare un'uscita.

«Lei sapeva che, nella farmacia del bagno, c'era un pacchetto di bicarbonato di sodio?».

Era il nocciolo della questione. Dopo la morte di Louise Voivin, l'appartamento era stato perquisito. Quasi subito avevano rinvenuto un bicchiere contenente i residui di un medicinale. Dalle analisi risultava essere digitalina sciolta nell'acqua.

Solo che, accanto al bicchiere, avevano trovato un pacchetto sulla cui etichetta c'era scritto: «Bicarbonato di sodio». E invece quel pacchetto conteneva digitalina in quantità sufficiente a provocare una strage.

«Lei cosa stava facendo, domenica pomeriggio?».

«Quello che facevo tutte le domeniche. Era il giorno più difficile. Ferdinand era in salotto a controllare delle fatture. Io leggevo in camera mia. Mia sorella doveva essere nella sua...».

«Ricorda cosa avevate mangiato a mezzogiorno?».

« Sì, me lo ricordo benissimo: lepre... L'aveva man-
data uno dei clienti di Ferdinand... ».

E continuava a pronunciare il nome di Ferdinand
con fervore, quasi fosse stato il più bello e il più stra-
ordinario degli uomini.

« È molto addolorata dalla morte di sua sorella? ».

« No! ».

Non lo nascondeva. Anzi, levò la testa e mostrò il
viso.

« Mia sorella l'ha fatto troppo soffrire... ».

« E lui? ».

« Era forse colpa sua?... So che non l'ha mai ama-
ta... Ha vissuto otto anni con lei, ma non è mai stato
felice... Mia sorella era sempre triste, malata... Già durante il primo anno di matrimonio aveva dovuto essere operata, e da allora si può dire che non è più stata
una donna come le altre... ».

Maigret uscì di nuovo dall'ufficio e si fermò sulla
soglia a osservare l'uomo prostrato sul divano. Gli
aveva già rivolto qualche domanda, il giorno prima, e
non era certo di volersi imbarcare con lui in uno di
quegli interrogatori interminabili, spossanti per entrambe le parti.

« Non ha voluto mangiar niente? » chiese sottovoce
a uno dei due ispettori.

« No... Dice che non ha fame... ».

« Ma figuriamoci!... ».

E, cercando di farsi coraggio, tornò nel suo ufficio,
dove Nicole non si era mossa di un millimetro.

« A proposito di malattie... Chi di voi soffre di mal
di stomaco? ».

« Ferdinand! » rispose lei senza esitazioni. « Non
tanto spesso, ma a volte gli capita, soprattutto se ha
avuto delle palpitazioni... ».

« Perché, soffre anche di palpitazioni? ».

«È stato curato per il cuore, due anni fa mi pare, ma è praticamente guarito...».

«Sa se suo cognato ha avuto mal di stomaco nel corso delle ultime settimane?».

«Sì!» fece lei, sempre categorica.

«Quando, esattamente?».

«Un giorno che siamo stati male tutti quanti...».

«Sa dirmi cosa avevate mangiato?».

«Non me lo ricordo più...».

«Avete chiamato il medico?».

«No! Ferdinand non ha voluto... Quella notte abbiamo avuto tutti mal di testa e nausea, e Ferdinand ha pensato a una fuga di gas...».

«Ed è stata l'unica volta?».

«Sì... Perlomeno in modo così forte...».

«Intende dire che ci sono stati altri malesseri?».

«So dove vuole andare a parare, commissario... Ma non riuscirà a farmi perdere la calma... Resisterò fino all'ultimo, nonostante tutto, perché so che Ferdinand è innocente... Se c'era qualcuno che avrebbe potuto avvelenare mia sorella, quella ero io, non lui. Come vede, non ho paura ad ammetterlo...».

«Però non l'ha fatto?» disse Maigret con un tono strano.

«No... Non ci ho nemmeno pensato... L'avrei uccisa in un altro modo, non so come... Negli ultimi tempi eravamo tutti malati, è vero... Ma avrei voluto vedere lei... Ha un'idea della vita che facevamo?... Quand'era il momento di andare a tavola, c'era sempre uno dei tre che non mangiava... Sa quante donne di servizio abbiamo cambiato in cinque mesi?... Otto!... Dicevano che non volevano rimanerci, in quella casa di matti...».

Le cedettero i nervi e scoppiò a piangere. Non era la prima volta che le succedeva durante l'interrogatorio, ma quasi subito tornava padrona di sé e guardava

Maigret negli occhi, come per anticipare le sue domande.

« Non so nemmeno se aprivamo ancora le finestre... E io ero arrivata al punto che non osavo andare neanche più fino all'angolo della strada, perché sapevo benissimo che avrei avuto mia sorella alle costole...».

« Quindi, secondo lei, Louise si sarebbe suicidata? ».

Nicole non rispose subito, prova che quella domanda la turbava.

« In altre parole, ritiene che sua sorella sia riuscita a procurarsi una grande quantità di digitalina e che, invece di cercare di avvelenare lei, si sia data volontariamente la morte? ».

« Non lo so... » ammise la ragazza.

E si capiva che nemmeno quell'ipotesi le appariva credibile, perché non collimava con il carattere della sorella.

« Allora? ».

« È un mistero... In ogni caso, non è stato Ferdinand!... ».

« E lei? ».

Se con questo sperava di farle perdere le staffe, si sbagliava. Nicole alzò la testa e ancora una volta sostenne il suo sguardo, con un'aria vagamente ironica.

« Credo che faremmo meglio a chiamare suo cognato » borbottò Maigret. « Anzi... Aspetti un attimo... Mentre io lo ricevo, lei si accomoderà in anticamera... ».

« Che cosa deve dirgli? ».

Era scattata in piedi, improvvisamente nervosa. E si sfogava sul fazzoletto, strappandone dei pezzettini con i denti.

« Fatelo entrare! » gridò Maigret socchiudendo la porta. « La signorina aspetterà fuori... ».

E la fece uscire davanti a Voivin, al quale indicò la

poltroncina su cui fino a un attimo prima era seduta la ragazza.

« Una birra? ».

Voivin si limitò a scrollare il capo.

« Non ha fame?... Le chiedo scusa se l'ho fatta aspettare... Sua cognata aveva un sacco di cose da raccontarmi... A proposito, cosa contate di fare adesso? ».

L'uomo alzò faticosamente la testa, guardò il commissario prima con stupore, poi con diffidenza, come se desse per scontato che non lo avrebbero lasciato andare.

« Una domanda, Voivin... Dal momento che, per via di sua moglie, Nicole non poteva parlarle liberamente, immagino che le scrivesse... ».

L'uomo cercò di cogliere il nesso, poi scosse di nuovo la testa.

« No... ».

« Perché? Innamorata com'è, e innamorato come è lei... ».

« Era impossibile... Mia moglie avrebbe trovato le lettere... Passava il tempo a frugare in tutta la casa, nei miei vestiti, persino nelle mie scarpe... ».

Maigret sospirò. Avrebbe dato chissà cosa pur di vedere Nicole consumarsi d'amore per qualcun altro, chiunque altro, ma non per quell'essere mediocre, mediocre in tutto, perfino nella sua disperazione.

« Non avreste potuto trovare un nascondiglio?... ».

« Gliel'ho detto, Louise l'avrebbe trovato... ».

Il commissario parve accantonare la questione.

« Pazienza... A proposito... C'è un'altra cosa che volevo chiederle... Quando lei ha sofferto di disturbi al cuore... ».

Ferdinand sorrise mestamente.

« Mi aspettavo questa domanda... ».

« Allora risponda! ».

« Ebbene sì, mi hanno prescritto la digitalina... Ma sono già due anni che non la prendo più... ».

«A ogni modo ne conosceva gli effetti, e certo dovevano averla avvisata che, a dosi massicce...».

«Mi creda, commissario, non ho ucciso mia moglie...».

«E io sono convinto che non sia stata neppure Nicole...».

«Sospettava di lei?».

«Ma no! Stia calmo! Lei mi sta dicendo che non ha ucciso sua moglie. E Nicole non è stata. Adesso le faccio una domanda a cui le concedo di non rispondere. Mi ascolti bene, Voivin... Conoscendo sua moglie come la conosceva lei, gelosa com'era, capace di tenersi in casa la sorella pur di non darle la possibilità di incontrarsi di nascosto con lei, conoscendola, dicevo, lei oserebbe sostenere che sua moglie abbia potuto anche solo prendere in considerazione l'idea di suicidarsi, e di lasciarvi così campo libero?... Ci rifletta...».

«Non lo so...».

«Andiamo! È libero di non rispondere, ma niente menzogne, Voivin... Niente scappatoie...».

Le labbra dell'uomo tremavano. E un fetore riempì improvvisamente la stanza, la reazione del suo corpo al panico. Maigret, senza dire una parola, andò ad aprire la finestra, poi tornò alla scrivania, si caricò lentamente la pipa e finì l'ultimo sorso di birra.

«Le darò una mano, d'accordo?» gli disse con dolcezza.

«Suppongo che preferisca non far entrare sua cognata...».

Voivin piangeva, forse non meno per l'umiliazione che per il dolore, e Maigret parlava camminando su e giù per la stanza, evitando di guardarlo.

«Mi interrompa se sbaglio... Ma non credo di sbagliarmi... Le capita di andare ad Anversa di tanto in tanto?».

«Sì...».

«Proprio come pensavo... Ad Anversa e ad Amsterdam, dove si tengono le più importanti borse di diamanti... Laggiù è riuscito a procurarsi una certa quantità di digitalina più facilmente che in Francia, e correndo meno rischi, il che spiega l'inutilità del le nostre ricerche a Parigi e dintorni...».

«Ho sete!» gemette Voivin con la gola serrata.

E lo disse con un tono così umile che Maigret ne fu imbarazzato. Prese una bottiglia di acquavite dall'armadio e gliene versò un gran bicchiere.

«Già per natura lei non ha un temperamento allegro... Poi sposa una ragazza che, nemmeno un anno dopo il matrimonio, subisce un'operazione che di colpo la fa invecchiare di parecchi anni... Lei continua a lavorare, senza gioia, diligentemente, come in tutto quel che fa, e a un certo punto soffre di disturbi al cuore... È così?».

«Non era niente di grave...».

«Poco importa... Ma ecco che le casca fra le braccia sua cognata, e tutt'a un tratto scopre la giovinezza e la gioia di vivere... È innamorato!... È pazzo d'amore!... Ma è troppo il suo rispetto della parola data per abbandonare sua moglie e rifarsi una vita... Lei è un debole, un vigliacco, oserei dire... Il giorno in cui sua moglie vi scopre, non reagisce...».

«Vorrei proprio sapere cosa avrebbe fatto lei al posto mio!».

«Non ha importanza... La vita in boulevard Beaumarchais si trasforma in un inferno: ogni giorno, ogni minuto è un supplizio... Se lei è incapace di lasciare sua moglie, lo è tanto più di rinunciare a sua cognata... M'interrompa se...».

«È così!».

«Lei è uno di quei deboli che provocano catastrofi! So di cosa parlo... Sì, lei è uno di quelli che, per timore della solitudine, sono capaci di trascinar con sé nella fossa una famiglia intera... Dal momento che la vita ormai le è diventata impossibile, ha pensato di far morire tutti e tre: ecco perché ha comprato tutto quel veleno... Giusto? ».

« Come l'ha capito? ».

« Fin qui era facile... Era la morte di sua moglie, e di sua moglie soltanto, che non riuscivo a spiegarmi... Ma la spiegazione me l'ha fornita lei... Procediamo per gradi... Anzitutto, ammetta che almeno un paio di volte ha organizzato una sorta di prova generale, ovvero ha messo una piccola dose di digitalina nel cibo, facendo star male tutti quanti... ».

« Volevo sapere... ».

« Appunto... Aveva paura... Non era sicuro di voler morire... E cercava di rendersi conto degli effetti della sostanza usandone piccolissime dosi... Quanto al resto, è stata la sua risposta a una delle mie ultime domande a chiarirmi ogni cosa... Sua moglie controllava ogni suo gesto, frugava in ogni angolo della casa, persino nelle sue scarpe... Stando così le cose, dove nascondere della digitalina?... E quale medicina lei, Voivin, era il solo a prendere? ».

Sconvolto, l'uomo alzò lo sguardo senza proferire parola.

« Da lì in poi, tutto è chiaro. La digitalina è dissimulata dietro l'inoffensiva etichetta « Bicarbonato di sodio »... E chissà, magari lei avrebbe esitato ancora per settimane, se non per mesi... ».

« Credo che non ci sarei mai riuscito! » gemette Voivin.

« Poco importa... Avrebbe, in ogni caso, esitato a lungo, se non si fosse verificato quell'incidente... Un suo cliente le ha regalato una lepre... Sua moglie, debole di salute, non la digerisce, va all'armadietto della farmacia, trova del bicarbonato di sodio e ne versa un cucchiaio in un bicchiere... ».

Voivin si nascondeva il viso fra le mani.

«Tutto qui!» tagliò corto Maigret spalancando la finestra già aperta. «Senta... Di là c'è un bagno... Vuole andare a rinfrescarsi prima che chiami sua cognata?».

L'uomo scivolò come un'ombra nella stanza accanto. Maigret aprì la porta.

«Le dispiace venire, signorina Nicole? Suo cognato torna subito...».

Poi, bruscamente:

«Dica, lei non ha mica voglia di morire?».

«No!».

«Meglio così! Allora stia attenta...».

«A cosa?».

«Niente... A non lasciarsi trascinare...».

«Cosa le ha detto?».

«Non mi ha detto niente!».

«Crede ancora che sia colpevole?».

«Se la vedrà con lui...».

«Dov'è?».

A Maigret scappò un sorrisino, e girò la testa.

«Si... si sta riprendendo!» disse.

Poi riaccese la pipa che si era spenta, mentre Voivin riappariva nell'ufficio camminando a tentoni, come se la luce lo abbagliasse.

«Ferdinand!» gridò Nicole.

«Ah no! Non qui... Per favore...» borbottò Maigret.

LA FINESTRA APERTA

Era mezzogiorno meno cinque quando i tre uomini si ritrovarono di fronte al 116 bis di rue Montmartre, quasi all'angolo con rue des Jeûneurs.

«Andiamo?».

«Beviamo qualcosa e andiamo...».

Presero un aperitivo al bar lì vicino, poi, con il bavero del cappotto rialzato e le mani in tasca per ripararsi dal freddo, entrarono nel cortile del palazzo, cercarono la scala C, e quando l'ebbero trovata salirono al secondo piano. Su ogni porta di quel vecchio edificio labirintico c'era una targa di smalto o di ottone con il nome di una ditta, dal fabbricante di fiori artificiali alla società cinematografica. Arrivati al secondo piano, in fondo a un corridoio buio, sulla targa lessero: «Le Commerce Français». Il brigadiere Lucas passò per primo, aprì la porta e con la mano si sfiorò la tesa del cappello.

«C'è Oscar Laget?».

Nell'anticamera, un uomo sulla cinquantina stava seduto dietro un tavolo coperto da un tappeto verde ed era intento a incollare francobolli su una pila di buste. Sulle prime si limitò a scrollare la testa, poi qualcosa dovette colpirlo nell'aspetto dei visitatori perché, osservandoli con maggior attenzione, parve intuire e si alzò in piedi.

« Non viene mai in ufficio la mattina » spiegò. « Per che cos'è? ».

« Ho un mandato d'arresto » rispose Lucas indicando un foglio di carta che gli spuntava dalla tasca. « Dove possiamo trovarlo? ».

« A quest'ora è irreperibile... Dev'essere alla Borsa, o in uno dei ristoranti nei paraggi. Sarà di ritorno alle quattro... ».

Lucas scambiò un'occhiata con i colleghi.

« Ci faccia vedere il suo ufficio... ».

Docilmente, l'uomo lo precedette lungo uno stretto corridoio, aprì una porta e gli mostrò un ufficio effettivamente vuoto.

« Vabbè! Torniamo alle quattro... ».

Se quella volta Maigret si occupò dell'inchiesta fin dall'inizio, fu per puro caso. Alle tre si trovava nel suo ufficio del Quai des Orfèvres, quando giunse per telefono la segnalazione di un accoltellamento fra algerini dalle parti di porte d'Italie. Gli algerini erano di competenza del brigadiere Lucas.

« Non posso andarci, capo. Alle quattro devo essere in rue Montmartre per un arresto... ».

« L'arresto di chi? ».

« Laget... Sa, quello del Commerce Français... Il mandato emesso dalla sezione finanziaria della procura... ».

« Tu fila a porte d'Italie... In rue Montmartre ci vado io... ».

Maigret lavorò fino alle quattro meno dieci, poi saltò su un taxi insieme agli altri due ispettori. Passò sotto l'androne e quando fu nel cortile, di fronte al reticolo di scale fatiscenti, chiese d'istinto:

« C'è una seconda uscita? ».

« Non credo... ».

Niente di che, insomma! Il banale arresto di un piccolo finanziere imbroglione!

« Secondo piano, capo... Giri a destra... ».

Una seccatura, ecco tutto. Il tizio sui cinquanta, che rispondeva al nome di Ernest Descharneau, era sempre seduto al suo tavolo, anche se adesso sulle buste non incollava più francobolli, ma scriveva gli indirizzi. Di fronte a lui, in anticamera, aspettavano annoiate quattro o cinque persone.

« È arrivato Oscar Laget? » chiese Maigret senza togliersi la pipa di bocca.

« Non ancora... Sarà qui da un momento all'altro... Anche questi signori sono qui per lui... ».

Occhiata ai « signori » in questione: tutti creditori, ovviamente, dall'aria più o meno miserabile, appostati lì da un paio d'ore nella speranza di strappare qualche soldo a Laget. Maigret, dopo aver vuotato la pipa sul pavimento già lurido, ebbe tutto il tempo di caricarsene un'altra.

« Che spifferi avete qui! » brontolò alzando il bavero di velluto del cappotto.

Ernest Descharneau, chinandosi un po' di lato, tese l'orecchio e mormorò:

« Credo che sia lui... ».

« Perché? Non entra da questa porta? ».

« Passa sempre dal retro... » rispose l'altro alzandosi. « Vado a dirgli... ».

Ma non ebbe il tempo di terminar la frase che dall'ufficio di Laget si udì un'esplosione. Descharneau fece per precipitarsi, ma Maigret lo spinse di lato e passò per primo.

Il corridoio faceva gomito. In fondo, una finestra aperta – ecco da dove veniva la corrente d'aria! – si affacciava su un cortiletto, e, passando, Maigret da buon freddoloso la chiuse. Si aspettava di trovare la porta di Laget chiusa a chiave, ma non era così. Nell'ufficio, l'uomo d'affari, piccolo e grasso, era seduto alla scrivania, rovesciato all'indietro, con una ferita aperta sulla tempia destra; sul tappeto, appena sotto la mano penzolante, c'era una pistola.

«Non faccia entrare nessuno!» borbottò Maigret voltandosi.

Ebbe subito la sensazione che qualcosa non quadrasse, ma ancora non sapeva cosa. Fiutava in giro, osservava tutto, con quel suo atteggiamento tipico, le mani in tasca, il cappello un po' all'indietro. Alla fine il suo sguardo si posò su un paio di scarpe da donna che spuntavano da sotto la tenda della finestra.

«E lei cosa ci fa, lì?» bofonchiò.

Nello stesso istante, una donna ancora giovane, avvolta in una pelliccia, uscì dal nascondiglio e, fissando i tre uomini con occhi pieni d'angoscia, balbettò:

«Chi siete? Perché siete qui?».

«E lei?».

«Io sono la signora Laget!».

L'ispettore che si era chinato sul corpo si rialzò e dichiarò placidamente:

«È morto!...».

L'ispettore Janvier fu incaricato di avvisare il commissario di zona, la procura e la scientifica, mentre Maigret, con aria torva, girava in tondo nella stanza rischiarata dalla luce cruda del giorno.

«Da quanto tempo si trova in quest'ufficio?» chiese d'un tratto alla signora Laget, guardandola di sottecchi.

«Sono arrivata pochi secondi prima di lei... Quando ho sentito dei passi, ho preferito nascondermi dietro la tenda...».

«E perché?».

«Non lo so... Volevo prima capire...».

«Capire cosa?».

«Cos'era successo... Siete sicuri che sia morto?».

Non piangeva, ma sembrava sconvolta, e Maigret preferì non insistere. Si avvicinò al secondo ispettore e gli disse sottovoce:

«Tu resta qui e tienila d'occhio, che non tocchi niente...».

Poi tornò in anticamera: i clienti erano ancora al loro posto.

«Non muovetevi da qui!... Potrei aver bisogno di voi...».

«È morto?».

«Che più morto non si può... Quanto a lei,» disse rivolto a Descharneau «gradirei scambiare due parole a quattrocchi...».

«Possiamo andare nell'ufficio della signora Laget... A meno che non ci sia già lei...».

L'ufficio si trovava di fronte a quello del morto. Per non essere disturbato, Maigret chiuse la porta a chiave, poi, quasi senza pensarci, si mise ad armeggiare con la chiavetta della stufa, che tirava male, e alla fine indicò una sedia all'impiegato.

«Si sieda... Nome... Età... Mi racconti tutto quello che sa...».

Mentre gli intimava di sedersi, lui se ne restava in piedi e, fedele alle abitudini, passeggiava per la stanza.

«Ernest Descharneau, cinquantaquattro anni, ex commerciante e tenente di riserva...».

«E attualmente fattorino?» borbottò Maigret.

«Non proprio» lo corresse Descharneau con una punta di amarezza. «Ma lei ha ragione: più o meno, è quello che faccio».

A dispetto degli abiti consunti, manteneva un aspetto curato e una certa distinzione nei modi, quella distinzione incolore tipica di chi ha conosciuto delle avversità.

«Prima della guerra avevo un negozio in boulevard de Courcelles, e gli affari non andavano male».

«Che cosa vendeva?».

«Armi, munizioni e articoli da caccia... Poi sono partito al fronte come soldato semplice, e dopo tre anni sono diventato tenente di artiglieria...».

Solo allora Maigret notò un nastrino rosso sul risvolto del gilet. Osservò pure che, mentre parlava con una concitazione quasi affannosa, l'uomo tendeva costantemente l'orecchio per sentire i rumori provenienti dalle altre stanze.

«Ho conosciuto Oscar Laget nella Champagne. Era un mio subordinato...».

«Soldato semplice?».

«Sì... Poi è diventato sergente... Alla fine della guerra, ho trovato il mio negozio chiuso e mia moglie ammalata... Mi restavano un po' di soldi, ma ho avuto la sventura di investirli in un'impresa che è fallita nel giro di un anno... Mia moglie è morta...».

Si udirono dei passi: Maigret intuì che doveva essere la polizia di zona, ma non si scomodò.

«E poi?» incalzò, seduto sul bordo della scrivania.

«All'epoca Laget aveva messo su una ditta di prodotti chimici, e così andai a trovarlo... Gli uffici erano in boulevard Haussmann... Mi prese come piazzista... Visto che era venuto ad arrestarlo, lei avrà un'idea di che genere d'uomo fosse...».

«Me lo dica lo stesso!».

A tratti, Maigret sembrava ascoltarlo a malapena.

«La ditta di prodotti chimici è rimasta in piedi tre anni, e ho messo da parte qualche risparmio... Un bel giorno, Laget ha chiuso baracca, e io mi sono ritrovato in mezzo a una strada... È lì che ha cominciato ad avere guai con la giustizia, eppure, nel giro di un anno, aveva già aperto con gran clamore un'altra impresa: Le Commerce Français...».

Descharneau era incerto se proseguire il suo racconto, chiedendosi se a Maigret interessasse davvero, mentre dalle altre stanze continuavano a provenire voci e rumori di passi.

«A un certo punto è arrivato ad avere anche sessanta dipendenti, e gli uffici occupavano tre piani di un palazzo moderno, in rue Beaubourg. Pubblicava dei periodici di settore, bollettini di varie corporazioni: macellai, conciatori, ufficiali giudiziari...».

«Ed è stato assunto anche lei?».

«Sì, quando sono tornato a trovarlo, mi ha preso con sé, ma senza una mansione precisa: ero, per così dire, il suo braccio destro... Sicché mi ha nominato procuratore di quasi tutte le società che metteva in piedi, e a volte anche amministratore...».

«Il che significa che adesso avrà dei guai con la giustizia pure lei?».

«È probabile» assentì Descharneau con voce sorda. «È difficile spiegare come stavano le cose... Anche quando avevamo sessanta dipendenti, ci capitava di correr dietro a duemila franchi... Laget e la moglie avevano una macchina per ciascuno... Si erano fatti costruire una villa in campagna da ottocentomila franchi, ma ai domestici poteva succedere di non essere pagati per tre mesi di fila... Tappavamo una falla e se ne apriva un'altra... Laget spariva per un paio di giorni, poi ricompariva agitatissimo dalla porta di servizio, e mi faceva firmare delle carte...

«"Svelto... Questa volta facciamo fortuna!...".

«Non sapevo neanche cosa firmavo... Appena mostravo la minima esitazione, mi dava dell'ingrato, mi ricordava che mi aveva, per così dire, salvato dal lastrico...

«Aveva anche degli sprazzi di generosità... Quando giravano soldi, era capace di darmi venti o trentamila franchi, così, senza motivo. Salvo poi, l'indomani o il giorno dopo, chiedermeli indietro...

« Dopo diversi alti e bassi, siamo finiti qui... La signora Laget ha voluto prendere in mano le cose, e viene in ufficio tutti i giorni... ».

A un tratto Maigret si tolse la pipa di bocca.

« Dove ha pranzato? ».

La domanda, pur semplicissima, fece sobbalzare Descharneau.

« Quando?... Oggi?... Aspetti... Sono uscito un momento a comprare un po' di pane e del salame... Ci devono essere ancora la pelle e le briciole nel mio cestino... ».

« Non è venuto nessuno? ».

« Cosa intende? Alle due sono arrivati dei creditori, come al solito... È per questo che Laget non osava più salire dalla scala principale... C'è un'uscita su rue des Jeûneurs... Bisogna attraversare degli stabili, dei corridoi, fare tutto un giro all'interno dei due palazzi, ma lui preferiva così... ».

« E la moglie? ».

« Anche lei! ».

« Arriva in ufficio sempre alle quattro? ».

« No! Di solito viene alle due... Ma oggi è il primo mercoledì del mese, e va al ministero a ritirare la pensione... È una vedova di guerra risposata... ».

« Pensa che sarebbe stata capace di uccidere il marito? ».

« Non lo so ».

« E Laget, pensa che sarebbe stato capace di suicidarsi? ».

« Non lo so... Quel che sapevo, gliel'ho detto... Adesso mi chiedo che fine farò io... ».

Maigret andò alla porta e la aprì.

« Ci rivediamo tra un po' ... ».

Quando entrò nell'ufficio di Laget c'erano dieci o quindici persone che si davano da fare e le luci erano accese. Il fotografo della scientifica aveva appena terminato e stava riponendo le sue attrezzature. Il giudice istruttore e un giovane sostituto parlottavano fra loro a bassa voce, mentre la signora Laget se ne stava seduta in un angolo con la faccia tirata, come stordita da tutto quel baccano e quell'agitazione.

« Trovato niente? » chiese il commissario di zona a Maigret.

« Ancora no. E lei? ».

« Abbiamo rinvenuto il bossolo, ed effettivamente è stato sparato con questa pistola... La signora Laget riconosce l'arma del marito, che teneva sempre nel cassetto della scrivania... ».

« Può venire un attimo, signora Laget? ».

Maigret la condusse nell'ufficio dove aveva interrogato Descharneau.

« Mi perdoni se la importuno in questo momento... Volevo solo rivolgerle un paio di domande... Anzitutto, che cosa pensa di Descharneau? ».

« Quell'uomo deve tutto a mio marito... Oscar l'ha salvato dalla miseria... Lo trattava come il suo uomo di fiducia... Perché? Descharneau gliene ha parlato male?... Ne sarebbe capace... È un vecchio inacidito... ».

« Seconda cosa » tagliò corto Maigret. « Quand'è stata l'ultima volta che è venuta qui in ufficio? ».

« Oggi alle due, per prendere i miei documenti prima di andare al ministero... Fino a qualche mese fa, la mia pensione di vedova di guerra non la ritiravo nemmeno... Ma, vista la situazione... ».

« E suo marito a che ora tornava solitamente, al pomeriggio? ».

« *In realtà*, alle tre... Le spiego... Spesso era costretto a pranzi d'affari troppo abbondanti, e magari alzava il gomito con i clienti... E, siccome di notte soffriva d'insonnia, aveva preso l'abitudine di fare un riposino nel suo ufficio fino alle quattro... ».

« E oggi? ».

« Non lo so... Alle due Descharneau mi ha riferito soltanto che mio marito mi avrebbe aspettato alle quattro in punto per una questione importante... ».

« E non le ha detto della polizia? ».

« No! ».

« La ringrazio ».

Mentre la riconduceva alla porta, Maigret continuava a sforzarsi di mettere a fuoco la sensazione che aveva provato entrando nell'ufficio di Laget. Ma non appena gli sembrava di esserci vicino, ecco che gli sfuggiva di nuovo.

Adesso aveva caldo e, sempre col cappello sulla nuca e la pipa fra i denti, uscì in anticamera con l'aria di chi non sa cosa fare. I quattro che erano venuti da Laget a reclamare soldi stavano ancora aspettando: Maigret li osservò uno a uno; ad attirare la sua attenzione fu soprattutto un giovane alto, emaciato, con gli abiti consunti.

« A che ora è arrivato, lei? ».

« Intorno alle due e dieci, due e un quarto, commissario... ».

Descharneau, che aveva ripreso il suo posto, tese le orecchie.

« Non è venuto nessuno, da allora? ».

« Solo questi signori... ».

E indicò i suoi vicini, che si limitarono ad annuire.

« Non è uscito nessuno?... No?... Un attimo!... Il fattorino è sempre rimasto al suo posto? ».

« Sì, sempre ».

Poi, tutt'a un tratto il giovane parve riflettere.

« Aspetti!... Solo una volta si è alzato ed è andato in corridoio per rispondere al telefono... ».

« A che ora? ».

« E chi lo sa!... Saranno state le quattro meno un quarto... Sì, è stato un po' prima che arrivasse lei... ».

« Dica un po', Descharneau, chi era al telefono? ».

« Non ne ho idea... Uno che aveva sbagliato numero... ».

« Ne è sicuro? ».

« Sì... Cercava... cercava lo studio di un dentista... ».

Nel rispondere, Descharneau aveva lanciato un'occhiata alla pila di buste sulla scrivania, come in cerca d'ispirazione. Erano lettere circolari che Laget spediva a migliaia di indirizzi. Istintivamente, il commissario fece lo stesso e, sulla prima busta del mucchio, lesse: « M. Eugène Devries, chirurgo dentista, rue... ».

Dovette fare uno sforzo per rimanere serio!

« Allora? » chiese Maigret, ritornando dal giudice e dal sostituto procuratore.

« Suicidio! » affermò quest'ultimo. « Secondo il medico, il colpo è stato sparato a neanche quindici centimetri dal viso... Quindi, a meno che Laget non avesse una gran voglia di farsi ammazzare... ».

« O stesse dormendo... » interloquì Maigret. I due uomini rialzarono la testa.

« Perché, lei crede invece che sia stato...? ».

E lo sguardo del giudice si posò sulla signora Laget, a cui stavano appunto prendendo le impronte digitali e che assunse un atteggiamento pieno di dignità.

« Ancora non lo so » ammise Maigret. « Certo, se di delitto si tratta, è un capolavoro... Commesso sotto il naso della polizia, per così dire... Come se l'assassino avesse volutamente aspettato che fossimo presenti... ».

Vedendo passare il medico legale, Maigret lo fermò.

« E lei, dottore, non ha notato nulla d'insolito? ».

« A dir la verità, no... La morte è stata immediata, questo è certo... ».

« E dopo? ».

«Cosa intende?».

«Niente... Laget doveva essere un tipo ancora più freddoloso di me... Se ha notato, lo schienale della poltrona è attaccato al termosifone...».

Il giudice e il sostituto si scambiarono un'occhiata. Maigret batté di nuovo il fornelletto della pipa contro il tacco. Per decenza, la faccia di Laget era stata coperta con un asciugamano a nido d'ape preso dal lavabo. Gli inquirenti, insomma, avevano finito, e non aspettavano che un cenno per andarsene.

«Senta un po'...» fece a un tratto Maigret rivolgendosi al commissario di zona. «Vedo che ci sono due telefoni sulla scrivania: uno collegato con la linea esterna e uno interno... Penso che comunichi con l'anticamera... Può provare a chiamarci da lì?».

Il commissario uscì. Gli altri aspettarono con gli occhi puntati su Maigret, che aveva l'aria assente. Passò un minuto, ne passarono due. Poi il commissario tornò, stupito:

«Non avete sentito niente?... Eppure ho fatto suonare tante volte...».

Maigret si girò verso il giudice:

«Le dispiacerebbe venire un momento con me?».

E lo condusse nell'ufficio dove aveva già ricevuto Descharneau e la signora Laget.

Là rimase in piedi, con le spalle al fuoco, nella sua posizione preferita, e si mise a parlare in tono volutamente banale, come per scusarsi di essere arrivato così in fretta alla soluzione e non umiliare troppo il magistrato.

«Il caso ha voluto che mi trovassi qui al momento giusto, e che osservassi il fattorino...».

«È stato lui a...? Ma è impossibile, dal momento che...».

«Aspetti! Suppongo che anche lei avrà riconosciuto in quell'uomo, sia fisicamente che moralmente, uno di quei falliti che rappresentano forse il retaggio più triste che la guerra ci abbia lasciato, o quanto meno le vittime più deplorevoli... Un uomo che è stato, un tempo, il tenente Descharneau, e che all'epoca possedeva certamente un alto valore morale!... Dopo l'armistizio non ritrova più niente di quella che era la sua vita... La sua impresa fallisce, la moglie muore... Ed è Laget, la cui volgarità e la cui assenza di scrupoli trionfano in quel periodo caotico, a raccattarlo...».

Silenzio. Maigret si caricò per la quarta volta la pipa.

«E sarei tentato di dire: tutto qui!» sospirò. «Laget si serve di Descharneau come un individuo della sua risma può servirsi di un onest'uomo... E l'onestà dell'ex tenente insorge a più riprese, poi, fra sussulti e ribellioni, si affievolisce, sicché alla fine il suo sentimento dominante nei confronti di colui che si proclama suo benefattore è l'odio... Un odio tanto più tenace in quanto Laget precipita a sua volta, per cui, in definitiva, Descharneau ha venduto la propria onestà per un piatto di lenticchie...».

«Non vedo dove vuole...».

«Andare a parare? Neanch'io. O, perlomeno, non lo vedevo fino a poco fa. M'immaginavo solo quei due, il capo e il dipendente, ovvero il sergente e il tenente di una volta che avevano invertito i ruoli... M'immaginavo questi uffici presi d'assalto da turpi creditori e ufficiali giudiziari, poi gli espedienti, le società fasulle, le tratte non pagate e gli assegni scoperti, tutto lo squallido corredo dei tracolli come questo...».

«Ed è appunto il motivo del mandato d'arresto che...».

«Permette un istante?».

Maigret aprì la porta e chiamò Descharneau, che comparve con aria spaventata.

«Senta un po', Descharneau... Quanti procedimenti giudiziari aveva avuto Laget?».

«Non lo so... Cinque, forse sei...».

55

« E ogni volta l'ha fatta franca, non è così? ».

« Sì... Aveva le conoscenze giuste... ».

« Grazie! Può andare! ».

Non appena il fattorino uscì, Maigret si rivolse di nuovo al giudice.

« Ecco qua! Descharneau non ha voluto che Laget la facesse franca anche stavolta... Quell'uomo è malato, lo ha visto anche lei... Ci scommetto che ha un'ulcera, se non un tumore allo stomaco... Ormai non è più in grado di rimontare la china... Se avessimo arrestato Laget, tempo un giorno e sarebbe diventato un relitto, e prima o poi l'avremmo ritrovato alla mensa dei poveri... Ora, a torto o a ragione, Descharneau ritiene che sia stato Laget a ridurlo così... ».

« Ma come ha potuto, materialmente...? ».

« Le dico la mia opinione, e basteranno pochi minuti per avere la conferma... Oggi, a mezzogiorno, un brigadiere e due ispettori vengono per arrestare Laget, ma lui non c'è e Descharneau li fa tornare alle quattro...

« Tenga conto che, da mesi, il nostro uomo passa intere giornate a incollare francobolli e copiare indirizzi nell'anticamera dell'ufficio, e che ha avuto il tempo di architettare mille modi, uno più complicato dell'altro, per vendicarsi...

« Ha ammesso che oggi, contrariamente al solito, non è andato a pranzo, e ho il sospetto che ne abbia approfittato per fare un certo lavoretto, di cui più tardi cercheremo le tracce...

« Perché l'occasione è perfetta, pressoché unica!... Gli altri giorni la signora Laget arriva in ufficio alle due, come un'impiegata... Soltanto il primo mercoledì del mese va al ministero del Tesoro a ritirare la pensione.

« Quando passa da qui per prendere i documenti, Descharneau le dice che *il marito l'aspetterà nel suo ufficio alle quattro in punto*, e lei non ha alcun motivo di dubitarne...

« Da quel momento in poi è tutto molto facile, persino troppo... L'anticamera, come ogni pomeriggio, si riempie di creditori, *i quali potranno testimoniare che Descharneau non si è mosso da lì...*

« Tranne una volta... Alle quattro meno un quarto – noti bene l'ora! – sente uno squillo, apparentemente quello del telefono, ma, guarda caso, Descharneau afferma che si è trattato di uno sbaglio e improvvisa una risposta imbarazzata.

« Tra poco scopriremo se sotto la scrivania dell'anticamera c'è un pulsante che aziona un campanello... La cosa non mi stupirebbe affatto, giacché il fattorino doveva avere un modo per avvertire il capo in caso di visite particolarmente seccanti... ».

« Questo è facilmente verificabile » intervenne il giudice.

« E anche il resto. Alle quattro meno un quarto Descharneau si introduce dunque nell'ufficio del suo capo, dove lo ha udito entrare una mezz'ora prima. Laget sta dormendo, come al solito... Descharneau, ex armaiolo, non ha avuto difficoltà a procurarsi un silenziatore, che inserisce sulla pistola del cassetto, e spara a bruciapelo... ».

« Ma... ».

« Aspetti! Si rimette in tasca il silenziatore o, più probabilmente, lo butta nel gabinetto... Poi torna in anticamera ad aspettare, ed è lì che arriviamo noi...

« Allora ci dice che Laget non tarderà... Noi pazientiamo come gli altri... Descharneau tende l'orecchio e, intorno alle quattro, sente arrivare la signora Laget, e, mentre lei sta ancora salendo le scale di servizio, preme sul campanello del telefono interno... ».

« Non la seguo... ».

« Non capisce che è necessaria una detonazione per far credere che *solo in quel momento Laget viene uc-*

ciso o si toglie la vita?... Poco fa, il commissario di zona ha cercato di far funzionare il telefono interno, ma non ci è riuscito... Scommetto che il filo è stato collegato a un banale petardo, che poi è stato posto sul davanzale della finestra in corridoio, la quale, mi sono scordato di dirle, quando siamo arrivati era aperta... Tutto avviene quindi in nostra presenza, sotto il nostro naso... Noi ci precipitiamo e, senza saperlo, spaventiamo la signora Laget, che si nasconde dietro la tenda».

Maigret sorrise.

«Entrando in quell'ufficio, sono rimasto colpito da qualcosa di anomalo... Adesso capisco cos'era... Da bravo fumatore incallito, riesco a fare la distinzione tra fumo caldo e fumo freddo... Ora, nell'ufficio di Laget si sentiva, certo, odore di polvere da sparo, ma di polvere da sparo fredda... Per quanto riguarda poi lo stato di rigidità del cadavere, il medico legale, al quale risottoporremo la questione, è stato tratto in inganno dal fatto che il corpo era appoggiato al termosifone, il che...».

Sul davanzale della finestra furono ritrovati i resti del petardo e un pezzo di filo di rame collegato al telefono interno.

«Non è vero!» gridò Descharneau il primo giorno.

Ma l'indomani fu trovato morto nella sua cella: si era impiccato ricavando delle strisce di tela dalla camicia.

IL SIGNOR LUNEDÌ

Maigret rimase immobile per un po' dinanzi al cancello nero che lo separava dal giardino, e sulla cui targa smaltata appariva il numero 47 bis. Erano le cinque di sera ed era buio pesto. Alle sue spalle scorreva quel ramo uggioso della Senna in cui si allunga l'isola deserta di Puteaux, con i suoi terreni incolti, i boschi cedui e gli alti pioppi.

Davanti a lui, invece, al di là del cancello, c'era una palazzina moderna di Neuilly, e tutto il quartiere del Bois de Boulogne, con la sua eleganza, la sua agiatezza e, in quel periodo dell'anno, il suo tappeto di foglie autunnali.

Il 47 bis si trovava all'angolo fra boulevard de la Seine e rue Maxime-Baès. Al primo piano si vedevano alcune finestre illuminate, e Maigret, che se ne stava curvo sotto la pioggia, si decise infine a premere il campanello. È sempre imbarazzante turbare la quiete di una casa, soprattutto una sera d'inverno quando, piena di un intimo tepore, è freddolosamente raccolta su se stessa, e a maggior ragione quando l'intruso viene dal Quai des Orfèvres, con le tasche gonfie di orribili documenti.

Al pianterreno si accese una luce, si aprì una porta e un domestico, prima di attraversare il giardino, cercò di distinguere il visitatore.

«Per che cos'è?» chiese senza aprire il cancello.

«Il dottor Barion è in casa, per favore?...».

L'atrio era elegante e, istintivamente, Maigret si cacciò la pipa in fondo alla tasca.

«Chi devo annunciare?».

«Lei dev'essere Martin Vignolet, l'autista» rispose il commissario, con gran sorpresa del suo interlocutore.

Intanto infilava il suo biglietto da visita in una busta e la richiudeva. Vignolet, un uomo tra i quarantacinque e i cinquant'anni, ossuto, con i capelli ispidi, e dalle evidenti origini contadine, salì al primo piano, tornò pochi istanti dopo e chiese a Maigret di seguirlo. I due passarono accanto a una carrozzina.

«Si accomodi, la prego» disse il dottor Armand Barion, aprendo la porta del suo studio.

Aveva gli occhi cerchiati e il pallore di chi non dorme da giorni. Prima di cominciare a parlare, Maigret udì dal piano di sotto delle voci di bambini che giocavano.

Entrando in quella casa, il commissario ne conosceva già tutti gli occupanti. Il dottor Barion, tisiologo ed ex interno all'ospedale Laennec, aveva aperto uno studio a Neuilly da non più di tre anni e, mentre si creava una clientela, proseguiva le sue ricerche di laboratorio. Era sposato e aveva tre figli: un maschio di sette anni, una femmina di cinque e un neonato di pochi mesi, quello di cui Maigret aveva visto la carrozzina.

La servitù era composta da Martin Vignolet, al tempo stesso autista e cameriere, da sua moglie Eugénie, cuoca, e poi, fino a tre settimane prima, da una giovane bretone di diciott'anni, Olga Boulanger.

«Suppongo, dottore, che lei conosca il motivo della mia visita. In seguito all'autopsia, i Boulanger, dietro consiglio del loro avvocato, hanno confermato la denuncia e si sono costituiti parte civile. Io ho ricevuto l'incarico di...».

Tutto il suo atteggiamento tradiva una sorta d'imbarazzo, ed era in effetti con un certo disagio che Maigret affrontava quell'inchiesta.

Tre settimane prima Olga Boulanger era morta in modo abbastanza misterioso, ma il medico dello stato civile aveva dato ugualmente l'autorizzazione alla sepoltura. I genitori, due autentici contadini bretoni, duri e diffidenti, erano giunti dal paese per le esequie e, Dio solo sa come, avevano saputo che la figlia era incinta di quattro mesi. Altrettanto inspiegabilmente, poi, erano entrati in contatto con Barthet, uno degli avvocati più feroci di Parigi.

Fatto sta che una settimana dopo, dietro suo consiglio, avevano preteso l'esumazione della salma e l'autopsia.

«Ho con me il rapporto» sospirò Maigret, portando la mano alla tasca.

«Lasci stare! Sono perfettamente al corrente, dal momento che ho assistito io il medico legale».

Era calmo, nonostante la stanchezza e forse anche l'ansia. Con indosso il camice da laboratorio, il viso illuminato dalla lampada, guardava Maigret dritto negli occhi, senza mai abbassare lo sguardo.

«Inutile dirle che l'aspettavo, commissario...».

Sulla scrivania, in una cornice di metallo, c'era una foto della moglie, trent'anni al massimo, una donna graziosa, fragile e raffinata.

«Poiché ha in tasca il rapporto del dottor Paul, saprà che abbiamo trovato l'intestino di quella poveretta costellato di minuscoli fori, che hanno causato un rapido avvelenamento del sangue. Saprà anche che, grazie a minuziose ricerche, siamo riusciti a determinare la causa di quei fori, e sia io che il mio illustre collega ne siamo rimasti sconcertati. Tanto che abbiamo sentito il bisogno di chiedere aiuto a un medico coloniale, al quale dobbiamo la soluzione dell'enigma...».

Maigret annuì e Barion, come intuendo il suo desiderio, s'interruppe:

«Fumi pure, la prego... Io non fumo perché gran parte dei miei pazienti sono bambini... Un sigaro?... No?... Vado avanti... Pare che il metodo utilizzato per uccidere la mia domestica – giacché non ho alcun dubbio che sia stata uccisa – sia un procedimento diffuso in Malesia e nelle Nuove Ebridi... Si fa ingerire alla vittima una certa quantità di quella barba fine, pungente come spilli, che si trova sulle spighe, le spighe di segale per esempio... Questa barba si ferma nell'intestino e, a poco a poco, ne perfora le pareti, portando fatalmente...».

«Mi perdoni» sospirò Maigret. «L'autopsia ha anche confermato che Olga Boulanger era effettivamente incinta di quattro mesi e mezzo. Sa se frequentava qualcuno che...».

«No! Usciva poco, per non dire affatto. Era una ragazzina piuttosto goffa, con la faccia cosparsa di lentiggini...».

Si affrettò a riprendere il discorso:

«Le confesso, commissario, che da quando, dieci giorni fa, abbiamo effettuato l'autopsia, non mi occupo d'altro. Non ce l'ho con i Boulanger: sono gente semplice ed è ovvio che sporgano denuncia contro di me. La mia situazione sarebbe altrettanto tragica se non riuscissi a scoprire la verità. Per fortuna, in parte ci sono già riuscito...».

Maigret stentò a dissimulare la sorpresa. Era andato lì per istruire un'inchiesta, ed ecco che si ritrovava di fronte a un'inchiesta, per così dire, già pronta, dinanzi a un uomo calmo e preciso, che gli faceva un vero e proprio rapporto.

«Che giorno è oggi?... Giovedì?... Ebbene, da lunedì, commissario, ho la prova tangibile che non era la povera Olga la vittima designata... Come ci sono arrivato?... Nel modo più semplice... Occorreva scoprire tramite quale alimento la nostra cameriera aveva potuto ingerire quei fili di segale... Dato che lei non aveva certo in mente di uccidersi, e tanto meno in un modo così sofisticato e al tempo stesso estremamente doloroso, doveva esserci stato un intervento esterno...».

«Non crede che il suo autista, Martin, potrebbe aver avuto dei rapporti con lei?».

«Ne ho addirittura la certezza» confermò il dottor Barion. «L'ho interrogato in proposito, e ha finito col confessare».

«E lui non ha mai vissuto nelle colonie?».

«Solo in Algeria... Ma le posso assicurare fin d'ora che sta sbagliando strada... Con l'aiuto un po' di mia moglie, un po' della cuoca, ho pazientemente stilato una lista di tutti gli alimenti che sono entrati in casa nostra in questi ultimi tempi, e ne ho anche analizzati alcuni. Lunedì, mentre mi trovavo qui nello studio e disperavo ormai di ottenere un qualsiasi risultato, un rumore di passi sulla ghiaia ha attirato la mia attenzione, ed è lì che ho visto un vecchio entrare nella nostra cucina con l'aria di uno di famiglia...

«Era il signor Lunedì, come lo chiamiamo noi, del quale mi ero completamente scordato».

«Il signor Lunedì?» gli fece eco Maigret con un sorriso divertito.

«L'hanno soprannominato così i miei figli, perché viene tutti i lunedì. Un mendicante come quelli di una volta – stavo per dire di prima della guerra –, pulito e dignitoso, che fa ogni giorno un giro diverso, e da noi viene il lunedì... A poco a poco si sono instaurate delle consuetudini, come quella di tenergli da parte un pasto completo, sempre lo stesso peraltro, perché il lunedì da noi è giorno di gallina col riso, che lui mangia tranquillamente in cucina... Fa divertire i bambini, che chiacchierano volentieri con lui... Già parecchio tempo fa avevo notato che portava a ciascuno dei miei figli un bignè alla crema, e allora sono intervenuto...».

Maigret, che era stato seduto per troppo tempo, si alzò, e il suo interlocutore proseguì:

«Sa come sono i negozianti, che preferiscono regalare ai poveri qualcosa dal banco piuttosto che dar loro dei soldi... Ho pensato che i bignè provenissero da un pasticciere del quartiere e che, presumibilmente, fossero del giorno prima... Per non dare un dispiacere a quel brav'uomo non gli ho detto niente, ma ho proibito ai miei figli di toccarli...».

«E se li mangiava la cameriera?».

«È probabile».

«E proprio in quei bignè...?».

«Questa settimana il signor Lunedì è venuto come sempre con i suoi due bignè avvolti in una carta color crema... Quando se n'è andato li ho analizzati – dopo glieli mostrerò –, e dentro vi ho trovato una quantità di barba di segale sufficiente a provocare i disturbi che hanno causato la morte di Olga... Capisce adesso? Non erano destinati alla povera Olga, ma ai miei figli...».

Dal piano di sotto continuavano a salire le voci dei bambini. C'era un bel tepore, un'atmosfera tranquilla; solo, di tanto in tanto, giungeva lo stridio delle auto sull'asfalto del lungofiume.

«Non ne ho ancora parlato con nessuno... Aspettavo lei...».

«Sospetta quel mendicante di...?».

«Il signor Lunedì? Neanche per sogno! D'altronde non le ho detto tutto, e il seguito basterà a scagionare quel poveretto... Ieri sono andato all'ospedale, poi ho fatto visita ad alcuni colleghi... Volevo sapere se, negli ultimi tempi, avevano registrato qualche caso analogo a quello di Olga Boulanger...».

Si passò la mano sulla fronte. Aveva la voce roca.

«Ora, sono praticamente certo che almeno due persone sono morte allo stesso modo, una quasi due mesi fa, l'altra appena tre settimane fa...».

«Avevano mangiato dei dolci?».

«Questo non sono riuscito a scoprirlo: i medici, com'è ovvio, si sono sbagliati sulla causa del decesso, e non hanno ritenuto necessario far istruire un'inchiesta... Ecco, commissario!... Le ho detto quello che so, ed è sufficiente, come vede, a spaventarmi... Da qualche parte a Neuilly c'è un pazzo o una pazza che, non so come, riesce a mettere la morte nei bignè...».

«Poco fa mi ha detto che le vittime designate erano i suoi figli...».

«Sì... E ne sono tuttora convinto... Capisco la sua domanda. Come fa l'assassino a essere certo che siano proprio i bignè del signor Lunedì a...».

«Tanto più che ci sono stati altri casi!».

«Lo so... Non me lo spiego...».

Sembrava sincero, eppure Maigret non poteva fare a meno di scrutarlo di sottecchi.

«Permette una domanda personale?».

«Dica pure...».

«La prego di non offendersi. I Boulanger la accusano di aver avuto dei rapporti con la figlia...».

Il medico chinò la testa e rispose con voce sorda:

«Tanto lo sapevo che prima o poi ci saremmo arrivati!... Non voglio mentirle, commissario... Sì, è la verità, la sciocca verità, perché sciocco è il modo in cui è successo, una domenica che ero qui da solo con quella ragazza... Darei qualunque cosa perché mia moglie non venisse mai a saperlo: ne soffrirebbe troppo... D'altra parte posso darle la mia parola di medico che all'epoca Olga era già l'amante del mio autista...».

«Sicché il bambino...».

«Non era mio, glielo assicuro... Le date non corrispondono nemmeno!... E in più Olga era una brava ragazza, e non le sarebbe mai passato per la testa di ricattarmi... Come vede, quindi...».

Maigret lo incalzò perché non avesse il tempo di riprendersi.

«E lei non conosce nessuno che... Un attimo... Prima mi ha parlato di un pazzo, o di una pazza...».

«Proprio così! Solo che è impossibile, materialmente impossibile! Il signor Lunedì non passa mai *da lei* prima di venire qui! Ci va dopo, e lei non lo fa entrare: gli lancia solo qualche moneta dalla finestra...».

«Ma di chi sta parlando?».

«Di Miss Wilfur... Lo vede? Si finisce sempre col pagare i propri errori!... Adoro mia moglie, però le ho tenuto nascoste due cose... La prima, la conosce già... L'altra è ancora più ridicola... Se non fosse buio, da questa finestra vedrebbe una casa in cui abitano un'inglese di trentotto anni, Laurence Wilfur, e la madre invalida... Sono la figlia e la vedova del colonnello Wilfur, dell'esercito coloniale... Una sera, più di un anno fa, dopo che entrambe erano tornate da un lungo soggiorno nel Sud della Francia, sono stato chiamato al capezzale della signorina, che si lamentava di dolori imprecisati...

«Sono rimasto alquanto sorpreso, in primo luogo perché non sono un medico generico, e poi perché non ho constatato alcun disturbo... Ma quel che mi ha stupito ancora di più è che, parlando con Laurence, ho scoperto che sapeva tutto di me, conosceva persino le mie piccole manie – e solo quando sono tornato qui nel mio studio e ho visto la sua finestra ho capito...

« Per farla breve, commissario... Per quanto assurdo possa sembrare, Miss Wilfur è innamorata di me, innamorata come può esserlo una donna della sua età che vive in compagnia di una vecchia in una casa immensa e tetra, ovvero innamorata come un'isterica...

« Ci sono cascato altre due volte... Sono andato da lei, e a un tratto, mentre l'auscultavo, mi ha preso la testa e mi ha baciato sulla bocca...

« Il giorno dopo ho ricevuto una lettera che cominciava con: "Tesoro mio"... E la cosa più sconcertante è che Miss Wilfur sembra convinta che siamo amanti!

« Le assicuro che non è così. Da allora la evito. Sono arrivato al punto di metterla alla porta, quando è venuta a importunarmi nel mio studio, e se non ho detto nulla a mia moglie l'ho fatto per discrezione professionale, oltre che per risparmiarle una gelosia senza fondamento...

« Non so nient'altro... Le ho detto tutto, come mi ero proposto di fare... Non sto accusando nessuno!... Non capisco!... Ma darei dieci anni di vita purché mia moglie non...».

Maigret si rendeva conto, adesso, che la calma di cui Barion aveva dato prova all'inizio era voluta, studiata, era il frutto di un enorme sforzo di volontà, e che ormai il giovane medico stava per scoppiare in singhiozzi davanti a lui.

« Lei conduca pure la sua inchiesta... Non vorrei influenzarla...».

Mentre il commissario attraversava l'atrio, si aprì una porta e due bambini, un maschio e una femmina più piccola, passarono correndo e ridendo. Martin richiuse il cancello alle sue spalle.

Quella settimana Maigret perlustrò il quartiere fino alla nausea. Passò ore intere a camminare su e giù per il lungofiume, con un'ostinazione tenace, sfidando la pioggia persistente e lo stupore di certi domestici che, avendolo notato, si chiedevano se quel losco figuro non stesse architettando qualche misfatto.

Vista da fuori, la casa del dottor Barion sembrava un'oasi di pace, di operosità e di lindore. Più volte Maigret scorse la signora Barion che spingeva personalmente la carrozzina dell'ultimo nato sul lungosenna. Un mattino in cui il cielo schiarì, si mise a guardare i due più grandicelli mentre giocavano in giardino, dove c'era un'altalena.

Quanto alla Wilfur, la vide solo una volta. Era alta, di costituzione robusta, senza un briciolo di grazia, afflitta da enormi piedi e da un portamento mascolino. A ogni buon conto, Maigret la seguì, ma lei si limitò a entrare in una libreria inglese del quartiere a cui era abbonata per restituire alcuni libri e prenderne altri.

Sicché, a poco a poco, Maigret allargò il raggio delle sue peregrinazioni, e si spinse fino ad avenue de Neuilly, dove individuò due pasticcerie. La prima, stretta e buia, con la facciata dipinta di un orribile giallo, sarebbe stata la cornice perfetta per quella lugubre storia di pasticcini letali. Ma invano il commissario cercò in vetrina e s'informò all'interno: lì non facevano bignè!

L'altra, la Pâtisserie Bigoreau, era la pasticceria elegante del quartiere, e aveva anche un paio di tavolini tondi di marmo dove si poteva prendere il tè. Lì tutto era lucente, zuccheroso, profumato. Una ragazza dalle guance imporporate andava e veniva allegramente, mentre alla cassa c'era una signora molto distinta, con un abito di seta nero.

Che proprio in quel luogo...? Maigret non si decideva ad agire. Più il tempo passava e il suo colloquio con Barion si allontanava, più ne riesaminava le accuse, per così dire, con la lente d'ingrandimento, e più il commissario ne scopriva la fragilità. Tanto che, in certi momenti, aveva la sensazione che si trattasse solo di un incubo grottesco, una storia inventata da capo a piedi da un megalomane, o da un uomo braccato...

Eppure il rapporto del medico legale confermava quanto diceva Barion: la povera Olga dal viso lentigginoso era davvero morta in seguito all'ingestione di barba di segale!

E le paste del lunedì successivo, i due bignè del fantomatico signor Lunedì, contenevano anch'esse, in mezzo alla crema, un bel po' di quei filamenti. Ma non era possibile che vi fossero stati messi dopo?

Come se non bastasse, mentre il padre di Olga, che teneva una locanda al paese, se n'era tornato nel Finistère, la moglie non si scollava da Parigi e, parata in gran lutto, passava ore e ore al Quai des Orfèvres, facendo la posta fuori dall'ufficio di Maigret per avere notizie. Un'altra che credeva la polizia onnipotente! Poco ci mancava che non andasse su tutte le furie, e bisognava sentirla sibilare con le labbra tirate e l'espressione dura:

« Ma cosa aspetta ad arrestarlo? ».

Il dottore, ovviamente! E magari avrebbe anche finito con l'accusare Maigret di una qualche losca complicità!

Il commissario decise ugualmente di aspettare il lunedì, sebbene provasse un vago rimorso, soprattutto vedendo ogni mattina un gran vassoio di bignè alla crema nella vetrina della Pâtisserie Bigoreau.

Chi gli dava la certezza che non fossero letali anche quelli, e che la ragazzina che con cautela ne portava via tre, o il bambino che ne divorava uno tornando da scuola, non avrebbero subito la stessa sorte di Olga?

All'una di lunedì Maigret era già appostato a pochi metri dalla pasticceria, ma fu solo alle due che avvistò il vecchio, e lo riconobbe senza averlo mai visto prima. La genialità dei bambini! Era proprio il signor Lunedì, che arrivava a passettini, calmo e serafico, sorridendo alla vita e assaporandone ogni istante, per non perderne nemmeno una briciola.

Aprì la porta della pasticceria con l'aria del frequentatore abituale, e da fuori Maigret poté constatare la giovialità di madre e figlia, che si misero a scherzare con lui.

Erano contente di vederlo, saltava agli occhi! La sua non era di quelle miserie che mettono tristezza. Il vecchio raccontò qualcosa che le fece ridere, finché la commessa grassottella si ricordò del rituale del lunedì, si sporse verso la vetrina e scelse due bignè, che impacchettò con garbo professionale nella carta color crema.

Dopodiché, senza fretta, il signor Lunedì entrò dal calzolaio lì accanto, che gli diede solo una monetina, poi dal tabaccaio all'angolo, dal quale ottenne un po' di tabacco da fiuto.

Le sue giornate scorrevano senza imprevisti, era evidente. E i suoi benefattori del lunedì, quelli del martedì in un altro quartiere, quelli del mercoledì in un altro ancora, avrebbero potuto regolare l'orologio sulle sue visite.

Il vecchio non tardò a raggiungere boulevard de la Seine e, a mano a mano che si avvicinava alla casa del dottore, camminava con passo più brioso.

Quello sì che era un buon indirizzo. Là avrebbe pranzato come si deve, seduto a un tavolo, in una cucina linda e ben riscaldata, mangiando le stesse pietanze servite poco prima ai padroni. Entrò, come uno di casa, dalla porta di servizio, e Maigret suonò all'altra.

«Vorrei vedere subito il dottore» disse il commissario a Martin.

Fu fatto salire.

«Può chiedere che ci portino immediatamente i due bignè? Il vecchio è da basso...».

Mentre mangiava, il signor Lunedì non poteva neanche immaginare che nello studio medico due uomini stessero esaminando i dolci che aveva portato ai bambini.

«Niente!» concluse Barion dopo averli controllati attentamente.

Insomma, certe settimane le paste erano letali, altre erano innocue.

«La ringrazio...».

«Dove va?».

Troppo tardi! Maigret era già sulle scale.

«Si accomodi di qua, commissario...».

La povera signora Bigoreau era agitatissima all'idea che una delle sue clienti potesse venire a sapere che riceveva la visita di un poliziotto. Lo fece entrare in un salottino elegante con finestre dai vetri colorati, adiacente al negozio. C'erano torte messe a raffreddare su tutti i mobili, persino sui braccioli delle poltrone.

«Volevo chiederle perché dà sempre due bignè, e mai un altro tipo di dolci, al vecchio che viene tutti i lunedì...».

«È molto semplice... All'inizio gli davamo quel che capitava, spesso qualche dolce un po' ammaccato, o dei pasticcini del giorno prima... Un paio di lunedì di fila, per puro caso, gli abbiamo regalato dei bignè, che sono delle paste piuttosto delicate... E quando poi gli abbiamo dato un'altra cosa, lui ha voluto lo stesso comprare due bignè...

«"Mi portano fortuna" ha detto.

«E allora, dato che è un bravo vecchietto, è diventata una consuetudine...».

«Un'altra domanda... Fra le sue clienti non vi è una certa Miss Wilfur?...».

«Sì... Perché me lo chiede?».

71

«Così... Una persona deliziosa, vero?».

«Lei trova?».

Il tono con cui lo disse incoraggiò Maigret a insistere:

«Un'originale, intendo dire...».

«Questo sì! Un'originale, come dice lei, che non sa mai quello che vuole! Se fossero tutte così, bisognerebbe raddoppiare il personale...».

«Viene spesso?».

«Mai!... Credo proprio di non averla mai vista... Ordina per telefono, mezzo in francese, mezzo in inglese, sicché c'è sempre qualche malinteso... Ma la prego, si sieda, commissario... Mi scusi se l'ho lasciata in piedi...».

«Ho finito, signora... E sono io a chiederle scusa per il disturbo».

Nella testa di Maigret ronzavano tre mezze frasi, che da sole spiegavano tutto. Parlando della Wilfur, la pasticciera aveva detto:

«Un'originale, che non sa mai quello che vuole...».

Poi:

«Se fossero tutte così, bisognerebbe raddoppiare il personale...».

Subito dopo, però, ammetteva di «non averla mai vista», ma di ricevere i suoi ordini per telefono, «mezzo in francese, mezzo in inglese».

Il commissario aveva preferito non insistere. Lo avrebbe fatto durante gli interrogatori ufficiali, lontano da quell'ambiente stucchevole. Senza contare che la signora Bigoreau avrebbe potuto ritrovare il suo orgoglio di negoziante e rifiutarsi di ammettere che accettava dei *resi*.

Perché di questo si trattava! Le sue parole non potevano significare altro! L'inglese ordinava per telefono, mezzo in francese, mezzo nella sua lingua. Poi mandava indietro quel che le era stato consegnato sostenendo che c'era stato uno sbaglio...

Mandava indietro i bignè!... Quelli in cui, mentre il garzone aspettava in cucina, lei aveva avuto il tempo di mettere la barba di segale!...

Con le mani affondate nelle tasche, Maigret camminava verso la casa del dottor Barion, e davanti al cancello quasi si scontrò con il signor Lunedì che stava uscendo.

«Allora, ha portato i suoi due bignè?» gli chiese allegramente.

E, giacché il vecchio rimaneva interdetto:

«Sono un amico di Barion... Pare che tutti i lunedì lei porti delle paste ai bambini... E, a questo proposito, mi chiedo perché sempre due bignè...».

«Non lo sa?... Eppure è semplicissimo!... Una volta ne avevo con me un paio che mi aveva dato la pasticciera, e i bambini li hanno visti... Mi hanno detto che erano le loro paste preferite... E allora, siccome è proprio brava gente, come non se ne trova più, che mi dà le stesse cose che mangiano loro, con tanto di dolce, caffè e tutto il resto, capisce?...».

Quando l'indomani Maigret si presentò da Miss Laurence Wilfur con un mandato d'arresto in tasca, la donna lo accolse con sussiego, minacciò di far intervenire il suo ambasciatore, dopodiché si difese caparbiamente, con un sangue freddo eccezionale.

«Sangue freddo che è un'ulteriore prova della sua follia!» disse lo psichiatra incaricato di esaminarla.

Proprio come le sue bugie, del resto! La Wilfur sosteneva infatti di essere da tempo l'amante del dottore, e addirittura di aspettare un figlio da lui.

L'esame medico dimostrò che era vergine. Un'ispezione minuziosa della casa, peraltro, portò alla sco-

perta di una gran quantità di spighe di segale nascoste in un secrétaire.

Per finire, si venne a sapere dalla madre che il colonnello Wilfur era morto alle Nuove Ebridi in seguito alle molteplici perforazioni intestinali procurate-
gli con qualche intruglio dagli indigeni.

Maigret rivide Martin per l'interrogatorio defini-
tivo.

«Cosa ne avresti fatto del bambino?» gli chiese.

«Sarei fuggito con Olga e avremmo aperto un
bistrot in campagna...».

«E tua moglie?».

L'altro si limitò a un'alzata di spalle.

Miss Laurence Wilfur, innamorata del dottor Barion al punto da volerne uccidere i figli per ripicca, al
punto da spiarne ogni minimo gesto, al punto da avvelenare i dolci di una pasticceria, tanto fermamente
era decisa a raggiungere il suo scopo, Miss Laurence
Wilfur, che aveva avuto l'idea quasi geniale di servirsi
a sua insaputa del signor Lunedì, è stata internata a
vita in una casa di cura.

E lì, da due anni, annuncia alle sue compagne che
sta per mettere al mondo un figlio!

JEUMONT, 51 MINUTI DI SOSTA!

Immerso in un sonno compatto, Maigret sentì vagamente uno squillo, ma non si rese conto che era il telefono, né che sua moglie si era sporta sopra di lui per rispondere:

«È Popaul!» annunciò lei dopo aver scosso il marito. «Vuole parlarti...».

«Sei tu, Popaul?» grugnì Maigret, ancora mezzo addormentato.

«Sei tu, zio?» udì dall'altro capo del filo.

Erano le tre del mattino. Il letto era caldo, i vetri coperti di fiori di ghiaccio perché fuori gelava, e a maggior ragione gelava a Jeumont, da dove chiamava Popaul.

«Cosa vai dicendo?... Aspetta!... Prendo nota dei nomi... Otto... Sì, lettera per lettera, è più sicuro...».

La signora Maigret sbirciava il marito chiedendosi una cosa sola: dovrà alzarsi o no? Ovviamente si alzò, di pessimo umore, e le spiegò:

«Lì, a Jeumont, è stato commesso un delitto, e Popaul si è preso la responsabilità di trattenere un intero vagone...».

Popaul era Paul Vinchon, il nipote di Maigret, ispettore alla frontiera con il Belgio.

«Dove vai?».

«Prima vado al Quai, per raccogliere qualche informazione. Poi, forse mi toccherà prendere il primo treno...».

Era sempre sul 106 che capitavano le grane: un treno che partiva da Berlino alle undici del mattino con un paio di vagoni provenienti da Varsavia, passava da Liegi alle 23,44, ora in cui la stazione era deserta (aspettavano solo che partisse il 106 per chiudere), e che arrivava infine a Erquelinnes all'1,57.

I predellini dei vagoni erano bianchi di brina, quella notte, e scivolosi. A Erquelinnes i doganieri belgi che, essendo il treno in uscita, non avevano granché da fare, attraversarono i corridoi, aprirono qualche scompartimento a caso e tornarono in fretta a radunarsi attorno alla stufa.

Alle 2,14 il treno si metteva già in moto per passare la frontiera e raggiungere Jeumont alle 2,17.

«Jeumont, 51 minuti di sosta!...» gridava un addetto correndo con una lanterna sul marciapiede.

Nella maggior parte degli scompartimenti i viaggiatori dormivano ancora, le luci erano basse e le tendine chiuse sui finestrini.

«Passeggeri di seconda e terza classe, scendere per la dogana!» si udì gridare lungo il convoglio.

All'ispettore Paul Vinchon bastò uno sguardo per accorgersi che le tendine che venivano aperte e le luci che si accendevano erano più del solito. Corrugò la fronte e si avvicinò al capotreno.

«Come mai così tanti passeggeri in prima, oggi?».

«Domani si apre a Parigi il congresso internazionale dei dentisti. Ne abbiamo almeno venticinque più del solito...».

Vinchon salì nel vagone di testa e aprì le porte degli scompartimenti l'una dopo l'altra, borbottando con voce monotona:

«Preparare i passaporti, prego!».

Se i passeggeri erano ancora addormentati e le luci basse, Vinchon le accendeva, e dall'ombra si vedevano emergere delle facce gonfie di un sonno poco ristoratore.

«Preparare i passaporti, prego...».

Cinque minuti dopo, quando ripassò, incrociò i doganieri che ispezionavano gli scompartimenti di prima classe facendo uscire tutti in corridoio, controllando i sedili, setacciando ogni angolo.

«Passaporti, carte d'identità...».

Poi toccò a un vagone tedesco con i sedili di velluto rosso. In genere gli scompartimenti di quel tipo non erano occupati da più di quattro passeggeri, ma quella notte, per via dei dentisti che avevano preso d'assalto il treno, i viaggiatori erano sei.

Popaul scoccò un'occhiata ammirativa all'affascinante passeggera seduta nell'angolo a sinistra, accanto al corridoio, che viaggiava con passaporto austriaco. Gli altri li guardò a malapena, a eccezione dell'uomo seduto in fondo allo scompartimento che, protetto da una spessa coperta, non si era mosso.

«Passaporto!» ripeté Vinchon toccandogli la spalla.

Gli altri viaggiatori avevano cominciato ad aprire le valigie per gli agenti della dogana, che sarebbero arrivati da un momento all'altro. Vinchon scosse di nuovo il passeggero addormentato, lo vide scivolare di lato, e un secondo dopo si accorse che era morto.

Scoppiò un parapiglia. Lo scompartimento era troppo stretto per contenere tutti, e quando arrivò la barella fu un'impresa caricare il corpo, che risultò particolarmente pesante.

« Portatelo all'infermeria! » ordinò Vinchon, il quale, poco dopo, riuscì a scovare tra i passeggeri un medico tedesco.

Nel frattempo, per ogni evenienza, aveva chiesto a un doganiere di sorvegliare lo scompartimento. La giovane austriaca era l'unica a voler scendere per prendere una boccata d'aria e, quando le fu negato il permesso, fece spallucce con aria sdegnosa.

« Sa dirmi di cosa è morto? » chiese Vinchon al medico.

Questi sembrò perplesso, e alla fine decise di spogliare il cadavere con l'aiuto dell'ispettore. Anche così, sulle prime non notarono ferite, e solo dopo un lungo esame il tedesco mostrò, sotto la piega d'adipe del petto, un segno a malapena visibile.

« Gli hanno trafitto il cuore con uno spillone... » dichiarò.

Entro dodici o tredici minuti al massimo il treno avrebbe lasciato la stazione. Il commissario speciale non c'era. Vinchon, agitatissimo, dovette prendere una decisione su due piedi: corse verso il capostazione e ordinò che sganciassero il vagone.

I passeggeri non sapevano esattamente cosa stesse succedendo. Non appena appresero che il loro vagone sarebbe rimasto a Jeumont e furono invitati a trovar posto altrove, i viaggiatori degli scompartimenti vicini si misero a protestare. E ancor di più protestarono i passeggeri che avevano viaggiato con il morto quando Vinchon li informò che era costretto a trattenerli fino all'indomani.

Cos'altro poteva fare, dal momento che tra di loro c'era un assassino? Ciò nonostante, una volta che il treno fu ripartito con un vagone e sei passeggeri in meno, Vinchon cominciò a sentirsi le gambe molli e chiamò al telefono lo zio.

Alle tre e quarantacinque del mattino, Maigret era al Quai des Orfèvres, dove c'erano pochissime stanze illuminate. Il commissario chiese a un ispettore di guardia di fargli un caffè e si accese la pipa. Alle quattro, mentre l'ufficio si riempiva di fumo, aveva già Berlino in linea e dettava a un collega tedesco i nomi e gli indirizzi fornitigli dal nipote.

Chiese poi di parlare con Vienna, giacché una delle passeggere dello scompartimento veniva da lì, dopodiché dettò un telegramma per Varsavia, perché c'era anche una certa signora Irvitch, di Vilnius.

Nel frattempo, a Jeumont, nell'ufficio del commissario speciale della stazione, Paul Vinchon teneva testa alle sue cinque vittime, ciascuna delle quali reagiva secondo il proprio temperamento. Se non altro, nella stanza c'era un bel fuoco, una di quelle grosse stufe da stazione che ingoiano enormi quantità di carbone. Vinchon aveva fatto anche portare delle poltroncine dagli uffici vicini, le classiche poltrone amministrative di legno nero, coi piedi torniti e il velluto liso.

«Vi prometto che cercheremo di accelerare al massimo le procedure, ma per il momento sono costretto a trattenervi tutti qui...».

Se voleva redigere un rapporto accettabile entro il mattino seguente non aveva un minuto da perdere. I passaporti erano sulla sua scrivania. Il corpo di Otto Braun (così si chiamava la vittima, come indicava il passaporto che gli avevano trovato in tasca) nell'infermeria.

«Se desiderate, posso farvi servire delle bevande calde... Ma dovete decidervi in fretta, perché il buffet sta per chiudere...».

Già alle quattro e dieci, però, Vinchon venne interrotto dallo squillo del telefono.

«Pronto... Aulnoye?... Come dice?... Certo!... È probabile che ci sia un legame, sì... Me lo mandi col primo treno... Anche i documenti, si capisce...».

Si spostò nell'ufficio a fianco per telefonare a Maigret senza farsi sentire.

«Sei tu, zio?... Ci sono novità!... Pochi minuti fa, quando il treno si è fermato alla stazione di Aulnoye, hanno visto un uomo sbucare da sotto un vagone... C'è stato un inseguimento piuttosto movimentato, ma alla fine l'hanno preso... Aveva addosso un pacchetto di titoli avvolti in una tela cerata: titoli internazionali, soprattutto petroliferi, per un valore considerevole... L'uomo ha detto di chiamarsi Jef Bebelmans, nato ad Anversa, di professione acrobata... Sì!... Me lo mandano col primo treno... Anche tu, zio, conti di arrivare con il primo treno?... Ah no?... Alle dieci e venti?... Grazie, zio...».

E tornò dalla sua combriccola, come la chiamava lui. Quando spuntò l'alba, la luce era così glaciale che a tutti sembrò facesse ancora più freddo del giorno prima. In stazione arrivarono dei viaggiatori per prendere un treno regionale. Intanto Vinchon, sordo alle proteste dei suoi «clienti», ormai intontiti dalla stanchezza, continuava a lavorare.

Non persero tempo. Del resto non c'era un minuto da perdere: era il classico caso che può ingenerare complicazioni diplomatiche. Non si poteva trattenere all'infinito cinque viaggiatori di nazionalità diverse, tutti con i documenti in regola, per il solo fatto che nel loro scompartimento era stato ucciso un uomo...

Maigret arrivò alle dieci e venti, come aveva annunciato. Alle undici, su un binario morto dov'era stato spostato il vagone, ebbe luogo la ricostruzione. Il grigiore, il freddo e la stanchezza generale contribuirono a renderla un'esperienza un po' irreale. Due volte una delle viaggiatrici scoppiò in una risata nervosa, prova che doveva aver esagerato con i grog per riscaldarsi.

«Prima di tutto, mettete il morto al suo posto!» ordinò Maigret. «Suppongo che le tendine ai finestrini fossero abbassate...».

«Non abbiamo toccato nulla...» dichiarò il nipote.

Certo sarebbe stato meglio aspettare la notte, o addirittura l'ora precisa del delitto. Ma poiché non c'era tempo...

Stando al passaporto, Otto Braun aveva cinquantotto anni, era nato a Brema e aveva esercitato la professione di banchiere a Stoccarda. Ne aveva tutta l'aria, del resto: era un pingue, facoltoso signore, con abiti di buon taglio, il cranio rasato e le fattezze marcatamente israelite.

Queste erano le informazioni appena giunte da Berlino su di lui:

«... Costretto a cessare la sua attività finanziaria dopo la rivoluzione nazionalsocialista, ha dato però garanzie di fedeltà al governo e non ha mai avuto fastidi... Si dice fosse molto ricco... Ha elargito un milione di marchi alla cassa del partito...».

In una tasca del morto Maigret trovò il conto di un albergo di Berlino, il Kaiserhof, dove Otto Braun, proveniente da Stoccarda, si era fermato per tre giorni.

I cinque viaggiatori erano in piedi nel corridoio e seguivano, chi con sguardo cupo, chi esasperato, l'andirivieni del commissario. Il quale, indicando la reticella sopra il posto di Braun, chiese:

«Questi bagagli sono suoi?».

«Sono miei!» fece la voce pungente di Lena Leinbach, l'austriaca.

«Le dispiace sedersi al posto che occupava stanotte?».

La donna obbedì di malagrazia, muovendosi a scatti, il che tradiva un principio di ubriachezza. Indossava una sontuosa pelliccia di visone sopra una toilette estremamente elegante, e aveva le dita tutte inanellate.

Da Vienna avevano telegrafato:

«... Prostituta d'alto bordo con al suo attivo numerose avventure nelle capitali dell'Europa centrale, ma che non ha mai avuto noie con la polizia... È stata a lungo l'amante di un principe tedesco...».

«Chi di voi è salito a Berlino?» chiese Maigret, rivolgendosi agli altri.

«Lei permette?» rispose uno degli uomini in perfetto francese.

E, difatti, era francese: Adolphe Bonvoisin, di Lille.

«Nessuno può informarla meglio di me, visto che occupavo lo scompartimento fin da Varsavia... Eravamo in due... Io vengo da Leopoli: sono rappresentante di filati e la mia casa madre ha una filiale in Polonia... Anche la signora è salita insieme a me, a Varsavia...».

E indicò una donna di una certa età, un'ebrea come Otto Braun, bruna, grassa e con le gambe gonfie, avvolta in un cappotto di astrakan.

«Signora Irvitch, di Vilnius».

Dato che non parlava francese, si spiegarono in tedesco. La signora Irvitch, moglie di un grosso commerciante di pellicce, si recava a Parigi per una visita da uno specialista, e protestava vivamente per...

«Si sieda al posto che occupava ieri!».

Rimanevano gli altri due, entrambi uomini.

«Nome?» chiese Maigret al primo, un tipo alto e magro, molto distinto, con un'aria da ufficiale.

«Thomas Hauke, di Amburgo...».

Sul suo conto Berlino era meno stringata:

«... Condannato nel 1924 a due anni di prigione per traffico di gioielli rubati... Da allora sotto stretta sorveglianza... Frequentava i ritrovi mondani di diverse capitali europee. Si sospetta sia dedito al commercio clandestino di cocaina e morfina...».

Infine l'ultimo: un uomo di trentacinque anni, con gli occhiali, il cranio rasato, i lineamenti duri.

«Dottor Gellhorn, di Colonia...» si presentò.

E lì vi fu un malinteso ridicolo. Maigret gli domandò come mai, quando avevano trovato il suo compagno di viaggio esanime, non se n'era occupato.

«Perché non sono dottore in medicina, ma in archeologia...».

Ecco come risultavano ora collocati i viaggiatori, conformemente alla disposizione della notte precedente:

Otto Braun	Ad. Bonvoisin	Signora Irvitch
Thomas Hauke	Dott. Gellhorn	Lena Leinbach

Ovviamente tutti, tranne Otto Braun, ormai nell'impossibilità di testimoniare, negavano di aver commesso il delitto. Così come tutti dichiaravano di non sapere nulla.

Nel frattempo, Maigret aveva fatto quattro chiacchiere con Jef Bebelmans, l'acrobata di Anversa che era sgusciato fuori da sotto un vagone ad Aulnoye con addosso due o tre milioni di titoli al portatore.

Sulle prime Bebelmans, messo di fronte al cadavere, non aveva battuto ciglio e si era limitato a chiedere:

«Chi è?».

Dopodiché gli avevano trovato in tasca un biglietto di terza classe Berlino-Parigi, anche se parte del viaggio se l'era fatta attaccato al telaio del vagone, probabilmente per evitare che scoprissero i titoli alla frontiera.

Ma Bebelmans non era molto loquace. Era un buontempone, e si accontentava di rispondere:

«Far domande è il suo mestiere. Solo che io non ho proprio niente da dire...».

Le informazioni sul suo conto non erano particolarmente edificanti: ex acrobata, aveva lavorato come cameriere in alcuni night club, prima a Bruxelles, poi a Berlino.

«Dunque,» cominciò Maigret, fumando a brevi boccate nonostante la presenza di due donne, «lei,

Bonvoisin, e la signora Irvitch eravate a bordo del treno fin da Varsavia. Chi è salito a Berlino?».

«Per prima la signora...» dichiarò Bonvoisin indicando Lena Leinbach.

«I suoi bagagli, signora?».

La donna indicò la reticella sopra il morto, dove c'erano tre lussuose valigie di coccodrillo protette da una fodera beige.

«Sicché ha messo i suoi bagagli da questa parte e si è seduta dall'altra... Nell'angolo diametralmente opposto...».

«Il morto... voglio dire, quel signore, è salito dopo...» interloquì Bonvoisin, che aveva una gran voglia di parlare.

«Senza bagagli?».

«Aveva solo un plaid...».

Maigret si consultò con il nipote. Nuovo inventario del portafoglio del morto: saltò fuori la ricevuta di alcuni bagagli voluminosi. Essendo questi ormai a Parigi, il commissario fece telefonare affinché venissero aperti con la massima urgenza.

«Vabbè! Procediamo... Questo signore?» disse poi indicando Hauke.

«È salito a Colonia...».

«È esatto, signor Hauke?».

«Per esser precisi, a Colonia ho cambiato scompartimento... Il mio era non fumatori...».

Il dottor Gellhorn era salito a Colonia, dove abitava. Mentre Maigret, con le mani in tasca, interrogava i viaggiatori, bofonchiando tra sé e sé e scrutandoli uno per uno, Paul Vinchon, da bravo segretario, prendeva appunti. Ecco quello che scrisse:

Bonvoisin: «Fino alla frontiera tedesca, a parte la signora Irvitch e il sottoscritto, nessuno sembrava conoscersi... Dopo la dogana, ci siamo tutti sistemati alla bell'e meglio per dormire e abbiamo abbassato le luci... A Liegi la signora di fronte a me (Lena Leinbach) ha fatto per uscire in corridoio. Subito, il signore all'angolo opposto (Otto Braun) si è alzato e le ha chiesto in tedesco dove andava.

« "Voglio prendere una boccata d'aria" ha detto lei.

« E lui, potrei giurarci, le ha risposto:

« "Non muoverti da qui!" ».

Poi Bonvoisin aggiungeva:

« A Namur voleva scendere di nuovo, ma Otto Braun, che sembrava addormentato, si è mosso, e lei è rimasta al suo posto. A Charleroi si sono parlati ancora, ma stavo prendendo sonno e ho solo un vago ricordo... ».

A Charleroi, dunque, Otto Braun era ancora vivo! Lo era anche a Erquelinnes? Impossibile saperlo. Il doganiere si era limitato a sbirciare attraverso uno spiraglio della porta, e poiché tutti dormivano era passato oltre.

Dunque, non poteva essere altrimenti: fra Charleroi e Jeumont, ovvero in un lasso di tempo di un'ora e mezzo circa, uno dei viaggiatori si era alzato, si era avvicinato a Otto Braun e gli aveva affondato uno spillone nel cuore.

Bonvoisin era l'unico che non avrebbe avuto bisogno di alzarsi. Per raggiungere il tedesco gli sarebbe bastato sporgersi verso destra. Dopo di lui, quello posizionato meglio era Hauke, di fronte alla vittima, poi veniva il dottor Gellhorn e per ultime le due donne.

Maigret, nonostante il freddo, aveva la fronte imperlata di sudore. Lena Leinbach lo guardava con aria rabbiosa, mentre la signora Irvitch si lamentava dei reumatismi e si consolava parlando in polacco con Bonvoisin.

Thomas Hauke era il più dignitoso, il più distaccato, mentre Gellhorn brontolava che gli stavano facendo perdere un appuntamento importante al Louvre.

Negli appunti di Vinchon si legge ancora:

Maigret, a Lena: «A Berlino dove abitava?».

Lena: «Ci sono stata appena otto giorni. Alloggiavo al Kaiserhof, come al solito...».

M.: «Conosceva Otto Braun?».

L. L.: «No! Può darsi che mi sia capitato di incrociarlo nella hall, o in ascensore...».

M.: «Perché allora, passata la frontiera tedesca, lui si è messo a parlarle come se la conoscesse?».

L. L. (in tono ironico): «Forse perché, sentendosi all'estero, si è fatto più ardito... In Germania un ebreo non può corteggiare un'ariana...».

M.: «Ed è per questo che le ha proibito di scendere a Liegi e a Namur?».

L. L.: «Mi ha solo detto che rischiavo di prendere freddo...».

L'interrogatorio non era ancora concluso quando giunse una telefonata da Parigi. I bauli di Otto Braun (ben sei!) contenevano una tale quantità di indumenti, biancheria ed effetti personali da lasciar supporre che l'ex banchiere fosse partito per molto tempo, se non per sempre.

Ma denaro, nemmeno l'ombra! E nel portafoglio c'erano solo quattrocento marchi! Quanto agli altri viaggiatori, avevano con sé:

Lena Leinbach: 500 franchi francesi, 50 marchi, 300 corone.

Dottor Gellhorn: 800 marchi.

Thomas Hauke: 40 marchi e 20 franchi francesi.

Signora Irvitch: 30 marchi, 100 franchi e lettera di credito su una banca polacca a Parigi.

Bonvoisin: 12 złoty, 10 marchi, 5000 franchi francesi.

Restavano da perquisire i bagagli a mano che si trovavano nello scompartimento. La borsa da viaggio di Hauke conteneva solo un abito di ricambio, uno smoking e della biancheria. Quella di Bonvoisin, due mazzi di carte da gioco di contrabbando. Ma la vera scoperta fu che nelle valigie di Lena Leinbach, perfettamente dissimulato sotto i flaconi da toilette in cristallo e oro e la biancheria fine, c'era un doppio-fondo.

Solo che in tutte e tre era vuoto! Interrogata in proposito, Lena Leinbach si limitò a rispondere:

« Ho comprato queste valigie da una signora che trafficava merce di contrabbando. Era un'ottima occasione... Io non me ne sono mai servita... ».

Chi aveva ucciso Otto Braun tra Charleroi e Jeumont, nella semioscurità bluastra dello scompartimento?

Parigi cominciava a preoccuparsi. Chiesero di parlare al telefono con Maigret. La faccenda era destinata a far scalpore e a generare complicazioni. Gli estremi dei titoli trovati addosso a Jef Bebelmans erano stati trasmessi alle principali banche, ma non risultava che fossero stati bloccati.

Quella sorta di sgradevole ricostruzione dei fatti nello scompartimento, cominciata alle undici, si concluse soltanto alle due, e solo perché la signora Irvitch, dopo aver dichiarato in polacco che non avrebbe sopportato quella puzza di cadavere un minuto di più, era svenuta.

Paul Vinchon era pallido: aveva l'impressione che lo zio non desse prova del solito sangue freddo o, più esattamente, della solita sicurezza.

« Tutto bene, zio? » gli chiese a bassa voce mentre attraversavano i binari.

« Mi piacerebbe trovare quello spillone! » si limitò a sospirare Maigret. « Trattienili tutti ancora per un'ora ».

« Ma la signora Irvitch si è sentita male! ».

« E io che ci posso fare? ».

« Il dottor Gellhorn dice... ».

« E tu lascialo dire! » tagliò corto seccamente il commissario.

Dopodiché se ne andò a mangiare, da solo, al buffet della stazione.

« Sta' zitto! » tuonava Maigret un'ora dopo rivolgendosi al nipote, che cercava, senza riuscirci, di darsi un contegno. « Sei capace solo di procurarmi seccature... Io ti dico quello che ho da dirti... Poi, ti avverto, dovrai cavartela da solo, e se non te la cavi, inutile chiamare lo zietto... Lo zietto ne ha fin sopra i capelli... ».

Poi, cambiando tono:

« Allora! L'unica spiegazione logica dei fatti è questa. Sta a te trovare le prove o ottenere delle confessioni. Cerca di seguirmi:

« 1. Otto Braun, ricco com'è, non è venuto in Francia con sei bauli e non so quanti completi, e soltanto 400 marchi nel portafoglio...

« 2. Se durante il tragitto in Germania lui e Lena Leinbach hanno finto di non conoscersi e, passata la frontiera belga, hanno cominciato a darsi del tu, dev'esserci un motivo...

« 3. Braun non ha voluto che lei scendesse né a Liegi, né a Namur, né a Charleroi...

« 4. Ciò nonostante Lena ha continuato a tentare disperatamente di scendere dal treno...

« 5. Un certo Jef Bebelmans, che è salito a Berlino e non ha mai visto Braun (altrimenti avrebbe almeno sussultato di fronte al suo cadavere!), è stato trovato con addosso titoli per due o tre milioni... ».

Dopodiché, sempre di pessimo umore, proseguì:

« Ora ti spiego! Otto Braun, in quanto ebreo, preferisce trasferire la sua fortuna, o perlomeno una parte di essa, fuori dalla Germania.

« Sapendo che i suoi bagagli saranno minuziosamente perquisiti, a Berlino si mette in contatto con una prostituta d'alto bordo e le ordina un set di valigie col doppiofondo, valigie che peraltro saranno controllate con minor zelo in quanto piene di oggetti femminili.

«Solo che Lena Leinbach, come ogni prostituta che si rispetti, ha un favorito, tale Thomas Hauke. Thomas Hauke, che è uno specialista, trova il modo a Berlino, e probabilmente allo stesso Kaiserhof, di trafugare i titoli nascosti nel doppiofondo delle valigie, e questo in combutta con Lena.

«La quale sale a bordo per prima e sistema le valigie dove Braun, che nutre comunque qualche sospetto, le ha indicato... Lei si siede nell'angolo opposto, perché devono far finta di non conoscersi...

«A Colonia, Hauke prende posto nello scompartimento per tenere la situazione sotto controllo, mentre una comparsa, probabilmente un topo d'appartamento, Jef Bebelmans, viaggia in terza classe con i titoli, nonché l'incarico, a ogni frontiera, di andarsi a fare un giro sotto il treno...

«Una volta passato il confine, Otto Braun ovviamente non corre più alcun pericolo. E in qualunque momento potrebbe saltargli in testa di aprire le valigie della sua accompagnatrice per riprendersi i titoli... Ecco perché, prima a Liegi, poi a Namur e ancora a Charleroi, Lena Leinbach tenta di scendere dal treno e filarsela all'inglese...

«Braun non si fida di lei? Sospetta qualcosa? O, semplicemente, è innamorato? Fatto sta che la tiene d'occhio e Lena comincia ad agitarsi perché, una volta a Parigi, lui non potrà non accorgersi del furto...

«C'è persino il rischio che lo scopra alla frontiera francese dove, non avendo motivo di nascondere i titoli, Braun potrebbe decidere di sollevare il doppiofondo. Anche Thomas Hauke si rende conto della situazione...».

« Ed è lui a ucciderlo? » chiese Vinchon.

« Credo proprio di no. Se Hauke si fosse alzato con quell'intenzione, uno degli altri due passeggeri l'avrebbe visto. Per conto mio, Braun è stato ucciso quando tu sei passato la prima volta e hai detto:

« "Preparare i passaporti...".

« In quel momento tutti si sono alzati, nel buio, con gli occhi pieni di sonno... Solo Lena aveva un motivo per mettersi di fronte a Braun e sporgersi verso di lui per prendere le valigie, e ci scommetto che è lì... ».

« E lo spillone? ».

« Trovalo! » borbottò Maigret. « Basterebbe una spilla da donna... Se a Lena Leinbach non fosse capitato fra i piedi uno come te, che si è preso la briga di far spogliare il cadavere, chissà per quanto si sarebbe andati avanti a credere che si trattasse di morte naturale... Sei stato tu a metterci in questa grana... E dovrai essere tu a sbrogliartela... Fa' credere a Lena che Bebelmans ha vuotato il sacco, a Bebelmans che Hauke l'ha venduto, tutti i vecchi trucchi, che diamine... ».

E, mentre Vinchon faceva quel che lo zio gli aveva detto di fare, lui se ne andò a bersi una birra. I vecchi trucchi funzionano sempre, e difatti, alla fine, funzionarono. Decisivo fu il fatto che Lena Leinbach portasse un'enorme freccia di brillanti appuntata sul cappello. Popaul, come lo chiamava Maigret, indicandola le disse:

« È inutile che neghi, signora Leinbach... È sporca di sangue... ».

Non era vero! Fatto sta che la donna fu colta da una crisi di nervi e confessò.

PENA DI MORTE

Il rischio maggiore, in questo genere di inchieste, è non farcela più. L'appostamento durava ormai da dodici giorni: con inesauribile pazienza, l'ispettore Janvier e il brigadiere Lucas si davano il cambio, ma anche Maigret si era già accollato un buon centinaio di ore, visto che era l'unico, in fin dei conti, a sapere più o meno dove voleva andare a parare.

Quella mattina Lucas gli aveva telefonato da boulevard des Batignolles:

«Credo che i piccioncini stiano per spiccare il volo... La cameriera mi ha appena detto che stanno chiudendo le valigie...».

Alle otto Maigret stava già di guardia dentro un taxi, con una valigia ai piedi, a pochi passi dall'Hôtel Beauséjour.

Pioveva. Era domenica. Alle otto e un quarto la coppia uscì dall'albergo con tre valigie e chiamò un taxi. Alle otto e mezzo la vettura si fermò davanti a una brasserie della Gare du Nord, di fronte al grande orologio. Anche Maigret scese dal taxi e, senza affatto nascondersi, si sedette a un tavolino non lontano da quello dei « piccioncini ».

Non solo piovigginava, ma cominciava a far freddo. La coppia si era sistemata accanto a un braciere. Non appena scorse il commissario, l'uomo portò istintivamente la mano al cappello a bombetta, mentre la sua compagna si strinse ancor di più nella pelliccia.

« Cameriere, un grog! ».

Anche quei due bevevano un grog, mentre i passanti li sfioravano, il cameriere andava e veniva, e la vita di una domenica mattina attorno a una grande stazione continuava il suo corso come se non ci fosse stata in gioco la testa di un uomo.

La lancetta avanzava a scatti sul quadrante dell'orologio. Alle nove la coppia si alzò e si diresse a uno sportello.

« Due biglietti di sola andata in seconda classe per Bruxelles... ».

« Un'andata in seconda per Bruxelles » fece eco Maigret.

Poi le banchine affollate, la ricerca di un posto sul rapido, lo scompartimento in fondo al binario, vicino alla locomotiva, in cui la coppia finalmente salì, lo stesso in cui il commissario sistemò la valigia nella reticella. Gente che si baciava. Il giovanotto con la bombetta scese per comprare dei giornali e tornò con un pacco di settimanali e riviste illustrate.

Era il rapido per Berlino. Pieno zeppo. Si udivano una miriade di lingue diverse. Partito il treno, il giovanotto si mise a leggere un giornale senza sfilarsi i guanti, mentre la sua compagna, che sembrava infreddolita, posò istintivamente la mano su quella di lui.

« C'è un vagone ristorante? » chiese qualcuno.

« Dopo la frontiera, credo! » rispose un altro.

« Ci fermiamo alla dogana? ».

«No. Fanno i controlli a bordo dopo Saint-Quentin...».

La periferia, poi boschi a perdita d'occhio, poi Compiègne, dove il treno effettuò una breve sosta. Di tanto in tanto il giovanotto alzava gli occhi dal giornale e sbirciava il viso placido di Maigret.

Era stanco, si vedeva benissimo. Maigret, che gli rivolgeva le stesse occhiate furtive, lo trovava più pallido degli altri giorni, ancora più nervoso, più teso, ed era pronto a scommettere che non avrebbe saputo dire cosa stava leggendo da un'ora.

«Non hai fame?» gli chiese la donna.

«No...».

Alcuni fumavano, chi sigarette, chi la pipa. Era una giornata buia. Nei paesi s'intravedevano strade bagnate e deserte, chiese in cui forse stavano celebrando la messa.

Maigret, che da due settimane e mezzo non faceva altro che pensare a quell'inchiesta, abbandonò l'idea di riepilogarne mentalmente i fatti, proprio perché quasi non ne poteva più.

Il giovanotto seduto di fronte a lui era vestito sobriamente, come un inglese anziché come un parigino: abito grigio ferro, soprabito grigio con i bottoni nascosti, bombetta e, per completare l'insieme, un ombrello che aveva posato sulla reticella inferiore.

Se nello scompartimento fosse risuonato il suo nome, tutti avrebbero fatto un balzo sul sedile: fra i giornali aperti sulle varie ginocchia, infatti, almeno la metà parlavano ancora di lui.

Un bel nome: Jehan d'Oulmont. Un'ottima famiglia belga, più volte assurta agli onori della Storia.

Jehan d'Oulmont era biondo; aveva i lineamenti abbastanza fini, ma la pelle troppo sensibile, che si arrossava facilmente, e il viso spesso increspato da tic nervosi.

Due volte Maigret lo aveva avuto davanti, nel suo

ufficio della Polizia giudiziaria, ed entrambe le volte, per delle ore, aveva cercato invano di incastrarlo.

«Lei ammette di essere, da due anni, un vero cruccio per la sua famiglia?».

«Questo riguarda la mia famiglia!».

«Dopo aver intrapreso gli studi di legge, è stato messo alla porta dall'Università di Lovanio a causa della sua condotta notoriamente indecorosa».

«Vivevo con una donna...».

«Precisiamo! Con la mantenuta di un negoziante di Anversa...».

«È un dettaglio senza importanza!».

«Ripudiato dalla sua famiglia, si è trasferito a Parigi... Dove è stato visto soprattutto alle corse dei cavalli e nei locali notturni... Si faceva chiamare conte d'Oulmont, titolo al quale non ha diritto...».

«C'è gente a cui piace...».

Sempre lo stesso sangue freddo, nonostante il pallore cadaverico.

«Ha conosciuto Sonia Lipchitz, del cui passato era perfettamente al corrente...».

«Non mi permetto di giudicare il passato di una donna...».

«A ventitré anni, Sonia Lipchitz ha già avuto numerosi protettori... L'ultimo le ha lasciato una discreta fortuna, che la signorina ha dilapidato in meno di due anni...».

«Il che dimostra che non sono interessato, giacché, in questo caso, sarei arrivato troppo tardi...».

«Lei sapeva, signor d'Oulmont, che suo zio, il conte Adalbert d'Oulmont – la sua famiglia ha il gusto per i nomi originali –, lei sapeva, dicevo, che una volta al mese suo zio aveva l'abitudine di trascorrere qualche giorno a Parigi, all'Hôtel du Louvre...».

«Per prendersi una rivincita sulla vita austera che era convinto di dover fare a Bruxelles...».

«Ammettiamo che sia così... Suo zio, vecchio habitué dell'albergo, prenotava sempre lo stesso appartamento, il 318... Tutte le mattine montava a cavallo al Bois, poi pranzava in un ristorante alla moda, quindi rientrava in albergo e ci restava fino alle cinque...».

«Aveva bisogno di riposo, no?» ribatté cinicamente il giovanotto. «Alla sua età!...».

«Alle cinque faceva salire barbiere e manicure, e...».

«E poi, fino alle due del mattino, bazzicava i locali dove s'incontrano le belle donne...».

«Esatto...».

Perché se il conte d'Oulmont, a una certa epoca della sua vita, era stato un elegante diplomatico, bisognava ammettere che con l'età si era calato sempre di più nella parte del vecchio dongiovanni: e non gli mancava nemmeno il parrucchino.

«Suo zio era ricco...».

«Me lo son sentito ripetere spesso...».

«Lei ha usufruito più volte del suo appoggio economico...».

«E delle sue lezioni di morale... Che compensavano il resto...».

«Due giorni prima del delitto lei gli ha presentato la sua amante, Sonia Lipchitz, in un bar degli Champs-Élysées...».

«Come un altro gli avrebbe presentato sua moglie...».

«Non proprio. Avete preso un aperitivo tutti e tre insieme, poi lei, con la scusa di un appuntamento di affari, li ha lasciati soli... In quel momento lei e Sonia eravate in bolletta, diciamo così. Dopo aver alloggiato per lungo tempo all'Hôtel de Berry, dalle parti degli Champs-Élysées, che avete lasciato senza pagare il conto, siete stati costretti a ripiegare su un albergo più modesto in boulevard des Batignolles...».

« Me ne fa una colpa? ».

« Evidentemente a suo zio Sonia non è piaciuta, visto che l'ha piantata in asso subito dopo cena per recarsi in un teatrino... ».

« E anche questo sarebbe colpa mia? ».

« Due giorni dopo, un venerdì, verso le tre e mezzo, il conte d'Oulmont veniva assassinato in camera sua durante il pisolino quotidiano... Secondo i medici legali, è stato colpito violentemente con un tubo di piombo o una sbarra di ferro... ».

« Sono stato perquisito... » osservò il giovane in tono sarcastico.

« Lo so! E aveva pure un alibi. Il giorno dopo mi ha mostrato il suo carnet delle scommesse, giacché è un fanatico delle corse... Il pomeriggio dell'omicidio lei era a Longchamp e ha puntato su due cavalli per ogni corsa... Lo provano le ricevute che abbiamo trovato nel suo soprabito, e altri frequentatori abituali l'hanno notata un paio di volte nel corso del pomeriggio... ».

« E quindi... ».

« Avrebbe comunque avuto il tempo, tra una corsa e l'altra, di saltare su un taxi e salire in camera di suo zio... ».

« Qualcuno mi ha visto? ».

« Lei ha sufficiente dimestichezza con l'Hôtel du Louvre per sapere che i clienti abituali vanno e vengono senza che nessuno vi badi... C'è un fattorino, però, a cui sembra di ricordare... ».

« Piuttosto vago, non le pare? ».

« A suo zio sono stati rubati trentaduemila franchi in banconote francesi ».

« Se fossi stato io, avrei avuto tutto il tempo di passare la frontiera! ».

« So anche questo. Al suo albergo non abbiamo trovato niente. Meglio così! Due giorni dopo, la sua amante ha impegnato i suoi due ultimi anelli al Crédit

Municipal, e attualmente state vivendo con i cinquemila franchi che le hanno dato in cambio...».

«Lo vede?...».

Il caso era tutto lì! In altre parole, quasi il delitto
perfetto! L'alibi era di quelli che è inutile cercare di
confutare. Jehan era stato visto all'ippodromo quel
pomeriggio. Ma a che ora?

Aveva scommesso. Ma la sua amante poteva aver
puntato al posto suo in certe corse e, da Longchamp
a rue de Rivoli, il tragitto è breve.

Un tubo di piombo, una mazza di ferro? Chiunque
può procurarseli e disfarsene facilmente. E con un
po' di abilità chiunque può introdursi in un grande
albergo senza farsi notare.

Il trucco degli anelli impegnati due giorni dopo? Il
carnet delle scommesse?

«Lei stesso ammette» ribatteva d'Oulmont «che al
mio caro zio capitava di ricevere delle donne in albergo. Perché non indaga in quella direzione?».

Da un punto di vista logico, il ragionamento non
faceva una grinza. Tanto che in mancanza di elementi sufficienti, quando, dopo due interrogatori, Jehan
si era presentato al Quai des Orfèvres manifestando il
desiderio di tornare in Belgio, erano stati costretti a
concedergli l'autorizzazione.

Ecco perché da dodici giorni Maigret applicava la
sua vecchia tattica: mettergli qualcuno alle calcagna
che non lo mollasse mai di un passo, ventiquattr'ore su
ventiquattro, e senza nascondersi affatto perché, tra i
due, il primo a non poterne più fosse d'Oulmont.

Ed ecco perché quella mattina Maigret si era seduto di proposito nello stesso scompartimento, proprio
di fronte al giovanotto, il quale, vedendolo, aveva abbozzato un saluto e si era poi trovato costretto a reci-
tare per ore la parte del disinvolto.

Un omicidio a scopo di rapina! Un omicidio senza attenuanti! Anzi, il fatto che a commetterlo fosse stato un parente della vittima, un ragazzo istruito e senza tare evidenti, costituiva un'aggravante! E per di più un omicidio commesso a sangue freddo! In modo pressoché scientifico!

Per i giurati, questo significa una testa che cade! Ed ecco che proprio quella testa, certo un po' pallida, ancora china sulla rivista, si rialzò all'arrivo dei funzionari della dogana.

Ci mancò poco che gli altri passeggeri si mettessero a protestare. Maigret aveva dato disposizioni per telefono e la coppia fu oggetto di una perquisizione minuziosa, tanto minuziosa da rasentare l'indiscrezione.

Risultato: niente! Jehan d'Oulmont esibiva il suo sorriso pallido. Sorrideva a Maigret. Sapeva che era suo nemico. Sentiva anche lui che era una guerra di usura, una guerra in cui era in gioco la sua testa.

Uno di loro sapeva tutto: l'assassino. Quando, come, in quale istante, in che circostanze era stato commesso il crimine.

Ma l'altro, Maigret, che fumava la pipa nonostante le smorfie della sua vicina, infastidita dall'odore del tabacco, che cosa sapeva, cosa aveva scoperto?

Una guerra di nervi, proprio così! Passata la frontiera, Maigret non aveva più nemmeno il diritto di intervenire, e già si scorgevano le prime case dei minatori del Borinage.

Allora perché era lì? Perché non mollava? Perché seguiva la coppia mentre andava a prendere un aperitivo nel vagone ristorante, e si sedeva al loro stesso tavolo, muto e minaccioso?

E perché, a Bruxelles, sceglieva proprio il Palace, ossia l'albergo dove avevano preso un appartamento Jehan d'Oulmont e la sua amante?

Aveva forse scoperto una crepa nell'alibi? Jehan d'Oulmont aveva per caso tralasciato un dettaglio che lo tradiva?

Ma no! In quel caso lo avrebbero arrestato in Francia, lo avrebbero deferito ai tribunali francesi, e lì la pena di morte non gliel'avrebbe tolta nessuno...

Al Palace Maigret occupava la stanza accanto alla loro. E lasciava la porta aperta, scendeva al ristorante insieme a loro, passeggiava dietro d'Oulmont lungo le vetrine di rue Neuve, entrava nella medesima brasserie, sempre con la stessa ostinazione e la stessa apparente calma.

Sonia era agitata quasi quanto il compagno. L'indomani non si alzò prima delle due, e la coppia decise di pranzare in camera. Ed ecco che udirono squillare il telefono: anche Maigret ordinava da mangiare!

Un giorno... Due giorni... I cinquemila franchi stavano fondendo come neve al sole, ovviamente... E Maigret era sempre lì, con la pipa in bocca e le mani in tasca, cupo e paziente.

Ma che cosa sapeva? Chi avrebbe potuto dire che cosa sapeva?

A dire il vero, Maigret non sapeva niente! Maigret *sentiva*. Maigret era sicuro del fatto suo, sicuro di essere nel giusto – ci avrebbe scommesso la reputazione. Ciò nonostante, pur avendo girato e rigirato il problema nella sua testa, e fatto interrogare i tassisti di Parigi, soprattutto quelli che stazionavano davanti all'ippodromo, non aveva cavato un ragno dal buco.

«Cosa vuole! Con tutti quelli che vediamo... Può darsi...».

Tanto più che Jehan d'Oulmont non aveva nulla di particolare, e quelli a cui veniva mostrata la sua fotografia lo prendevano per qualcun altro.

Il fiuto non basta. La convinzione neppure. La giustizia esige una prova, e Maigret continuava a cercare senza sapere chi si sarebbe stancato per primo. Passeggiò dietro la coppia al Giardino botanico. Trascorse intere serate al cinema. Pranzò e cenò in ottime brasserie, di quelle che piacevano a lui, e fece il pieno di birra.

Alla pioggia era seguita una sorta di neve sciolta. Il martedì il commissario calcolò che alle sue vittime rimanevano poco più di trecento franchi belgi, e ipotizzò che forse era giunto il momento in cui finalmente avrebbero fatto ricorso al *malloppo*.

Maigret stava facendo una vita massacrante, e di notte, al minimo rumore nella stanza accanto, si doveva svegliare; ma era come quei cani che vengono sguinzagliati dietro ai cinghiali: pronti a farsi sbudellare piuttosto che indietreggiare.

La gente intorno a loro continuava a non sospettare niente. I camerieri servivano il diafano Jehan d'Oulmont come un cliente qualsiasi, senza immaginare che la sua testa non fosse più solidamente attaccata alle spalle. In un night qualcuno invitò a ballare Sonia, poi sparì; un'ora dopo la invitò di nuovo e si mise a giocherellare, come per stuzzicarla, con la sua borsetta. Il giovanotto aveva tutta l'aria del rampollo di buona famiglia, e da lontano rivolse a d'Oulmont un cenno amichevole.

Una cosa da nulla. E ormai erano a Bruxelles da tre giorni. Eppure, da quel momento, il commissario cominciò a nutrire la speranza di farcela.

E, da quel momento, cominciò anche a comportarsi in modo così insolito per lui che la signora Maigret ne sarebbe rimasta sconcertata. Si diresse verso il bar del locale e si mise a bere in compagnia delle entraîneuse che lo avevano preso d'assalto. Buttò giù diversi bicchieri con l'aria di spassarsela oltre i limiti della decenza, e alla fine, un po' titubante, invitò Sonia a ballare.

« Se proprio ci tiene! » rispose lei, asciutta.

Lasciò la borsetta sul tavolo e gettò un'occhiata all'amante, ma d'Oulmont era stato a sua volta precettato da una delle signorine della casa.

Chi avrebbe potuto prevedere ciò che stava per succedere, mentre le due coppie, avvolte da una luce arancione, si mischiavano a tutte le altre?

Terminato il ballo, Maigret non era più solo. Un ometto vestito di nero avanzò al suo fianco sino al tavolo della coppia, e annunciò:

« Signor Jehan d'Oulmont?... Niente chiasso... Niente scandali... In nome della Pubblica Sicurezza belga, ho l'incarico di arrestarla... ».

La borsa era sempre lì, sul tavolo, e Maigret sembrava assorbito da altri pensieri.

« Arrestarmi? E in virtù di cosa? ».

« Di un mandato di estradizione che... ».

A questo punto d'Oulmont allungò la mano verso la borsa, poi si alzò di scatto, puntò una pistola contro Maigret e...

« Un altro che non andrà in paradiso! » borbottò il commissario.

Vi fu uno sparo. Maigret rimase in piedi, con le mani in tasca. Jehan, con la pistola in pugno, sembrava fuori di sé. Chi stava ballando si diede alla fuga. La solita baraonda...

« Capisce? » disse Maigret al capo della Pubblica Sicurezza di Bruxelles. « Non avevo uno straccio di prova. Solo indizi! E sapevo che era intelligente quanto me...

«Non potevo dimostrare che avesse ucciso suo zio. E probabilmente l'avrebbe fatta franca, se...».

«Se?...».

«Se non fosse stato un ex studente di giurisprudenza, e se in Belgio ci fosse la pena di morte... Mi spiego... In Francia, ha ucciso suo zio perché aveva bisogno di soldi... Sa che lì ci rimetterà la testa... Anche rifugiandosi a Bruxelles, se si trovassero le prove della sua colpevolezza, non sfuggirebbe all'estradizione... E io gli sto alle calcagna! In altre parole, potrei avere degli indizi, o potrei avere delle prove... Non ha via di scampo...

«Anzi, sì... Una cosa può salvarlo dalla ghigliottina, una cosa che ha già salvato l'assassino Danse... Se commette un altro omicidio, prima di essere estradato verrà giudicato dalla giustizia belga, che ha bandito il patibolo, ma che lo manderà in prigione per il resto dei suoi giorni...

«E proprio sull'orlo di questo dilemma volevo spingerlo standogli col fiato sul collo... Gli mancava l'arma... Quel gesto della sua amante, stanotte, quando ormai erano tutti e due allo stremo, mi ha fatto venire il sospetto che, con la complicità di un vecchio amico, fossero riusciti a procurarsi un revolver e l'avessero nascosto nella borsetta...

«Mentre ballavamo, un agente l'ha sostituito con una pistola caricata a salve...

«Poi c'è stato l'arresto...

«Jehan d'Oulmont, in preda al panico, Jehan d'Oulmont, che rischia di rimetterci la testa, preferisce l'ergastolo in Belgio e spara...

«Chiaro?».

Chiaro, sì! Chiaro che, macchiandosi di un altro crimine, l'assassino del vecchio conte d'Oulmont

102

aveva salva la vita. E, per di più, quel suo sorriso sarcastico non significava forse:

«Volevate la mia testa? Be', non l'avrete!»?

La sua testa no! Però non era più in grado di nuocere. E Maigret poteva finalmente pensare ad altro.

LE LACRIME DI CERA

Questo fu uno di quei rari casi che si sarebbe potuto risolvere a tavolino, per deduzione e con i metodi della scientifica. D'altronde, quando lasciò il Quai des Orfèvres, Maigret sapeva già tutto, persino la faccenda delle botti.

Si era preparato a un breve viaggio nello spazio, e invece intraprese un estenuante viaggio nel tempo. A Vitry-aux-Loges, nemmeno cento chilometri da Parigi, già scendeva da un bizzarro trenino come ormai se ne vedono solo sulle stampe di Épinal, e quando parlò di taxi lo squadrarono severamente credendo che scherzasse. Rischiò di dover fare il resto del tragitto sulla carretta del fornaio, sennonché all'ultimo minuto riuscì a convincere il macellaio a dargli un passaggio col suo camioncino.

«Ci va spesso?» chiese il commissario, riferendosi al paesino dove lo chiamava la sua inchiesta.

«Due volte alla settimana... Grazie a lei, questa settimana avranno il macellaio un giorno in più...».

E pensare che Maigret era nato a quaranta chilometri da lì, sulle rive della Loira; non si aspettava che la foresta di Orléans gli facesse un'impressione così lugubre.

Erano, infatti, nel fitto di un bosco. Il camioncino percorse una decina di chilometri tra due alte fustaie prima di arrivare a un borgo che spuntava in mezzo a una radura.

«È questo?».

«No, quello dopo...».

Non pioveva, ma la foresta era umida e il cielo di un bianco così crudo da risultare opprimente. Gli alberi erano quasi completamente spogli e le foglie cominciavano a marcire; qua e là si udivano degli scricchiolii, e ogni tanto uno sparo in lontananza.

«Si caccia parecchio, qui?».

«Dev'essere il signor duca...».

Alla fine, in una radura più piccola delle precedenti, scorsero una trentina di bicocche a un solo piano che si stringevano attorno a una chiesa dal campanile a punta. Avevano tutte almeno cent'anni, c'era da scommetterci, e i tetti neri d'ardesia le facevano sembrare ancora più simili l'una all'altra.

«Si fermi davanti alla casa delle sorelle Potru...».

«Lo sapevo. È di fronte alla chiesa...».

Quando Maigret fu sceso, il macellaio si fermò un po' più in là, aprì lo sportello sul retro del camioncino e si mise a richiamare l'attenzione di alcune comari, restie a comprare carne al di fuori dei giorni canonici.

A forza di studiarsi la piantina che avevano disegnato i primi inquirenti, il commissario avrebbe potuto muoversi in quella casa a occhi chiusi.

Ed era più o meno ciò a cui si era costretti, tanto le stanze erano buie. Per Maigret, entrare in quella bottega che sembrava vecchia di un secolo fu proprio come fare un viaggio indietro nel tempo.

La luce era fioca come nei dipinti dei maestri fiamminghi, e i mobili, i muri, avevano lo stesso colore dei quadri antichi, con chiazze opalescenti, macchie grigiastre nella semioscurità, e poi, improvviso, il riverbero di un boccale o di un recipiente di rame.

Da sessantacinque anni, ovvero da quando erano nate, le signorine Potru (la più anziana, perlomeno, perché la minore ne aveva solo sessantadue) abitavano in quella casa, dove prima di loro avevano abitato i loro genitori e dove probabilmente nulla era cambiato da allora: né il bancone con la bilancia e le scatole di caramelle, né lo scaffale della merceria, né quello della frutta e della verdura, che emanava un vago odore di cannella e di cicoria, né il banco di zinco sul quale si serviva da bere.

In un angolo c'era un barile di petrolio e, di fianco, uno più piccolo pieno di olio commestibile. In fondo, due tavoli, e un altro sulla sinistra: tavoli lunghi, patinati dal tempo, affiancati da panche senza schienale.

Si aprì una porta, sulla sinistra. Una donna che avrà avuto trentadue, trentatré anni, con in braccio un bambino, scrutò Maigret.

«Ha bisogno?».

«Non badi a me... Vengo per l'inchiesta... Lei dev'essere una vicina...».

E la donna, col ventre che sporgeva sotto il grembiule:

«Sono Marie Lacore, la moglie del fabbro...».

In quel momento, notando una lampada a petrolio appesa al soffitto, Maigret si rese conto che in paese non c'era l'elettricità.

La stanza accanto, in cui il commissario entrò senza chieder permesso, era talmente buia che ci si rallegrava di trovare due ceppi accesi nel camino. Grazie al chiarore del fuoco Maigret distinse un grande letto con vari materassi sormontati da un piumino rosso gonfio come un pallone, e dentro il letto, immobile, una vecchia dal volto rigido, cereo, in cui solo gli occhi conservavano un barlume di vita.

« Continua a non parlare? » chiese Maigret a Marie Lacore.

La donna fece segno di no. Il commissario scrollò le spalle, si sedette su una seggiola impagliata e tirò fuori di tasca dei documenti.

Il fatto era avvenuto cinque giorni prima e di per sé non aveva niente di sensazionale. Si diceva che le sorelle Potru, che vivevano sole in quella bicocca, avessero da parte qualche risparmio. Erano anche proprietarie di altre tre case in paese, e godevano di una solida reputazione di taccagne.

Nella notte fra venerdì e sabato ai vicini era parso effettivamente di udire dei rumori, ma non avevano dato peso alla cosa. Solo alle prime luci dell'alba un contadino aveva visto, passando, la finestra della camera spalancata, si era avvicinato e aveva chiamato aiuto.

Poco distante dalla finestra, Amélie Potru, in camicia da notte, giaceva in una pozza di sangue. Sul letto, con la faccia rivolta al muro, c'era il corpo senza vita di sua sorella Marguerite, con il petto trafitto da tre coltellate e uno squarcio che dalla guancia destra saliva fino all'occhio.

Amélie, invece, era viva. Era stata lei ad aprire la finestra nel tentativo di dare l'allarme, ma poi era caduta, indebolita per il sangue perso. Delle sue undici ferite, quasi tutte concentrate sulla spalla e il lato destro del corpo, nessuna era grave.

Il secondo cassetto del comò era aperto, la biancheria sparpagliata, e fra la biancheria era stata rinvenuta una vecchia cartella di pelle chiazzata di muffa in cui le due sorelle dovevano riporre abitualmente i loro documenti. Per terra, un libretto di risparmio, dei titoli di proprietà, qualche contratto d'affitto e le fatture dei fornitori.

Dell'inchiesta si era occupata Orléans. Maigret disponeva non solo di una pianta dettagliata del luogo, ma anche di alcune fotografie e del verbale degli interrogatori.

La morta, Marguerite, era stata sepolta due giorni dopo. L'altra, Amélie, quando si era parlato di portarla all'ospedale, si era ribellata con tutte le sue forze, aggrappandosi con le unghie alle lenzuola e intimando con lo sguardo di lasciarla a casa sua.

Il medico legale dichiarò che nessun organo era stato leso, e il suo improvviso mutismo era sicuramente dovuto allo shock. Comunque fosse, da cinque giorni le sue labbra non emettevano più un suono, e lei se ne restava lì, a osservare, nonostante l'immobilità e le fasciature, tutto quel che le succedeva intorno. Come adesso, che non distoglieva gli occhi da Maigret.

Comunque, tre ore dopo il sopralluogo della procura di Orléans, veniva arrestato un uomo che tutti gli indizi portavano a identificare come l'assassino. Era Marcel, il figlio naturale della defunta. A ventitré anni, infatti, Marguerite aveva avuto un figlio che ora ne aveva trentanove e che, dopo aver lavorato come bracchiere per il duca – da quelle parti tutti lo chiamavano così –, faceva il taglialegna nella foresta e abitava in una fattoria in rovina a dieci chilometri da lì, vicino allo stagno del Loup-Pendu.

Maigret era andato a trovarlo in cella. Era un bruto nel vero senso della parola, capace di sparire per settimane senza dar segno di vita alla moglie e ai cinque figli, che nutriva più che altro di botte. Per giunta era un ubriacone, un depravato.

Il commissario volle rileggere, nell'ambiente in

cui si erano svolti, il resoconto dei fatti che gli aveva fornito Marcel.

« Quella sera sono arrivato in bicicletta verso le sette, mentre le donne stavano per mettersi a tavola. Ho bevuto un bicchiere al banco, poi sono andato in cortile a uccidere un coniglio, l'ho spellato e mia madre l'ha messo a cuocere. Mia zia ha cominciato a brontolare, come al solito, dato che non mi ha mai potuto soffrire... ».

La gente del posto confermò che Marcel aveva l'abitudine di andare a gozzovigliare a casa delle due sorelle: la madre non osava rifiutargli niente, e la zia aveva paura di lui.

« Poi c'è stata un'altra scenata, perché ho preso dalla bottega una forma nuova di formaggio e ne ho tagliato un pezzo... ».

« Che vino avete bevuto? » chiese Maigret.

« Quello del negozio... ».

« Avevate acceso la lampada a petrolio? ».

« Sì... Dopo mangiato, mia madre, che aveva i soliti dolori, se n'è andata a letto e mi ha chiesto di prendere le sue carte nel secondo cassetto del comò. Mi ha dato la chiave. Le ho portato i documenti e abbiamo fatto i conti delle fatture, perché eravamo a fine mese... ».

« Che altro c'era nella cartella? ».

« Dei titoli... Un bel fascio di buoni di stato e di obbligazioni, per più di trentamila franchi... ».

« E non è mai entrato nella rimessa? Non ha acceso la candela? ».

« No, mai... Alle nove e mezzo ho rimesso le carte nel cassetto e me ne sono andato... Passando dalla bottega, mi sono fatto un ultimo bicchierino... Se le hanno detto che sono stato io ad ammazzare le due vecchie, è una bugia... Farebbe meglio a interrogare lo Jugo... ».

Con gran stupore dell'avvocato di Marcel, Maigret non insistette oltre.

Quanto a Yarko, più comunemente chiamato Jugo perché jugoslavo, era un bell'elemento anche lui: approdato lì dopo la guerra, non se n'era più andato, e abitava da solo in un'ala dell'edificio adiacente la bottega delle Potru, guadagnandosi da vivere nel bosco come carrettiere.

E anche lui era un ubriacone, che negli ultimi tempi le sorelle Potru si rifiutavano di servire perché aveva già un debito lungo come la fame. Una volta che Marcel era al negozio, ci aveva pensato lui a mettere lo Jugo alla porta, facendogli sanguinare il naso.

Ma se le signorine Potru lo detestavano era soprattutto perché gli avevano affittato una vecchia scuderia in fondo al cortile per tenerci i cavalli, ma lui non pagava la pigione. Lo Jugo, a quell'ora, era probabilmente nel bosco a trasportare tronchi.

Seguendo con l'incartamento in mano il filo del suo ragionamento, Maigret si avvicinò al camino dove, la mattina in cui era stato scoperto il fatto, avevano trovato fra la cenere un coltellaccio da cucina con il manico carbonizzato. Si trattava senza dubbio dell'arma usata per il delitto, ma ormai non era più possibile rilevare le impronte.

Sul cassetto del comò e sulla cartella di pelle, invece, le impronte di Marcel – e soltanto le sue! – erano parecchie.

Sul candelabro trovato sul tavolo c'erano solo quelle di Amélie Potru, il cui sguardo glaciale era fisso su Maigret.

«Sempre decisa a non parlare, vero?...» le borbottò, per ogni evenienza, il commissario, accendendosi la pipa.

E si chinò sull'impiantito per tracciare col gesso le macchie di sangue indicate sulla piantina.

«Lei resta qui qualche minuto?» gli chiese Marie

Lacore. «Così posso andare a mettere la cena sul fuoco...».

Sicché Maigret si ritrovò solo in casa con la vecchia. Era il suo primo sopralluogo, ma aveva già lavorato un giorno e una notte sul fascicolo e sulla piantina. Orléans aveva fatto così bene le cose che il commissario non trovò sorprese, se non quella sgradevole di scoprire una realtà ancora più squallida di come se l'era immaginata.

Eppure era figlio di contadini! *Sapeva* che in certi paesini si vive tuttora come nel Medioevo. Ma trovarsi catapultato di botto in quel borgo in mezzo al bosco, in quella casa, in quella stanza, accanto a quella donna ferita di cui intuiva la mente vigile, gli faceva lo stesso effetto di quando si visitano certi ospedali o certi ospizi che nascondono le peggiori mostruosità umane.

Quando, a Parigi, aveva cominciato a lavorare su quel caso, aveva subito preso qualche appunto in margine al rapporto:

«1. Perché Marcel avrebbe bruciato il coltello senza preoccuparsi delle impronte sul mobile e sulla cartella?

«2. Perché, se si è servito della candela, l'ha riportata in camera e l'ha spenta?

«3. Perché le tracce di sangue non seguono una linea retta dal letto alla finestra?

«4. Perché, andandosene alle nove e mezzo, Marcel è uscito dalla porta sul davanti, rischiando così di essere visto, anziché da quella sul cortile, che dà sulla campagna?».

Una cosa, invece, scoraggiava l'avvocato di Marcel: nel letto delle due sorelle era stato trovato un bottone della sua giacca, una vecchia giacca da cacciatore di velluto a coste, con dei bottoni particolari.

«È stato mentre spellavo il coniglio: mi sono impigliato nel bottone e si è staccato» sosteneva Marcel.

Dopo aver riletto i suoi appunti, Maigret si alzò e guardò Amélie con un sorriso strano: come l'avrebbe contrariata, adesso, non poterlo seguire con gli occhi! Lui infatti passò nella rimessa, un bugigattolo illuminato a stento da una finestrella, in cui vide delle cataste di legna e, a sinistra, contro il muro, le famose botti.

Le prime due erano piene, una di vino rosso e una di vino bianco. Le altre due erano vuote, e su una di quelle gli specialisti della scientifica avevano rilevato delle gocce di cera provenienti dalla candela trovata in camera.

Nel suo rapporto, il commissario di Orléans diceva: «... È probabile che siano state lasciate da Marcel quando è andato a versarsi da bere... La moglie dichiara di averlo visto rincasare ubriaco fradicio, fatto corroborato dalle tracce a zigzag della sua bicicletta sulla strada di casa... ».

Maigret si mise a cercare qualcosa lì intorno, ma non la trovò, sicché tornò nella camera e aprì la finestra: sulla piazza c'erano solo due bambini che osservavano la casa.

«Dì un po', ragazzino, ti dispiacerebbe andare a cercarmi una sega? ».

«Una sega per il legno? ».

Alle sue spalle, sempre quel viso esangue, quelle pupille che seguivano passo per passo la sua sagoma massiccia. Il ragazzino tornò con due seghe di dimensioni diverse. In quel momento entrò Marie Lacore.

«Non l'ho mica fatta aspettare troppo?... Ho lasciato il bambino a casa... Adesso devo medicare Amélie... ».

«Ancora un momento, per favore... ».

«Intanto vado a far scaldare l'acqua... ».

Brava! Maigret preferiva risparmiarsi lo spettacolo. Aveva già visto abbastanza. Tornò nel bugigattolo, individuò il barile con le gocce di cera, introdusse la sega nel cocchiume e cominciò l'operazione.

Sapeva già quel che avrebbe scoperto lì dentro. Era sicuro del fatto suo. Se poche ore prima nutriva ancora qualche dubbio, l'atmosfera di quella casa aveva confermato la sua ipotesi. E Amélie Potru era esattamente come se l'aspettava!

Quei muri non trasudavano solo l'avarizia, ma anche l'odio... E Maigret, entrando, aveva notato una pila di giornali sul bancone... Era un dettaglio importantissimo, che gli inquirenti avevano trascurato: la bottega delle signorine Potru era anche una rivendita di giornali! Amélie possedeva un paio di occhiali, ma non li portava durante il giorno: quindi ne aveva bisogno per leggere! Quindi, leggeva...

Ed ecco che svaniva il principale ostacolo alla sua teoria.

Una teoria basata sull'odio, l'odio irrancidito nel corso dei lunghi anni vissuti l'una accanto all'altra, anni di vita comune in quella casa minuscola, di notti nello stesso letto, di interessi condivisi...

Marguerite aveva avuto un figlio, aveva conosciuto l'amore, mentre la sorella maggiore non aveva nemmeno avuto quella gioia! Per quindici o vent'anni il bambino era cresciuto aggrappato alle loro gonne, poi, abbandonato a se stesso, tornava di frequente, e sempre per mangiare, per bere, per reclamare soldi.

Soldi che appartenevano ad Amélie quanto a Marguerite! Anzi, più ad Amélie! Perché lei era la primogenita e quindi aveva lavorato più a lungo per guadagnarli!

Un odio esacerbato dai mille dissapori della vita quotidiana, come il coniglio che veniva ucciso per Marcel, la forma di formaggio che era lì per esser venduta e che lui intaccava cinicamente senza che la madre si opponesse...

Sì, Amélie leggeva i giornali; probabilmente divorava i resoconti dei processi, e quindi conosceva l'importanza delle impronte digitali!

Amélie aveva paura del nipote. Non perdonava alla sorella di avergli mostrato il nascondiglio dove tenevano i soldi e, come era successo di nuovo proprio quella sera, di lasciargli maneggiare quei titoli che tanto dovevano fargli gola.

« Un giorno o l'altro ci ammazzerà... ».

Una frase che – Maigret ci avrebbe scommesso – doveva essere risuonata chissà quante volte, fra quelle mura! Intanto il commissario continuava a segare. Aveva caldo: si tolse cappello e cappotto e li posò sul barile vicino.

Il coniglio... il formaggio... Poi un pensiero improvviso: Marcel aveva lasciato le sue impronte digitali sul cassetto del comò e sulla cartella di pelle consunta...

E se ancora non fosse bastato, c'era il bottone che gli si era staccato dalla giacca, e che sua madre, essendo già a letto, non poteva riattaccargli.

Se fosse stato Marcel, infatti, perché avrebbe svuotato il contenuto della cartella sul posto, invece di portar via tutto? E a maggior ragione Yarko che, come Maigret aveva appurato, non sapeva leggere!

Il punto di partenza erano state le ferite di Amélie, tutte sul lato destro, troppo numerose, troppo superficiali... Maigret se l'era immaginata, maldestra e vigliacca dinanzi al dolore... Non voleva morire, né soffrire a lungo, e contava di aprire la finestra e urlare per chiamare i vicini...

Un assassino le avrebbe forse lasciato il tempo di correre alla finestra?

Per uno scherzo del destino, era svenuta prima che qualcuno si allarmasse per le sue grida, e aveva dovuto aspettare i soccorsi tutta la notte!

Era andata così! Non poteva essere altrimenti! Amélie aveva ucciso la sorella semiaddormentata, poi, probabilmente con la mano avvolta in uno straccio, aveva aperto il comò e svuotato la cartella, giacché se voleva fare andar di mezzo Marcel i soldi dovevano sparire!

Ecco perché la candela...

Tornata accanto al letto, si era procurata le ferite, goffamente, timidamente, dopodiché si era spostata fino al camino, come dimostravano le tracce di sangue, per bruciare il coltello e cancellare così le proprie impronte!

Infine aveva raggiunto la finestra e...

Il commissario, che era sul punto di terminare l'operazione, si voltò bruscamente. Sentiva delle voci, e come dei rumori di lotta. Vide aprirsi la porta e apparire nell'inquadratura una sagoma al tempo stesso grottesca e truce, quella di Amélie Potru, con indosso una specie di sottoveste, le braccia e il torso gonfi di bende, lo sguardo fisso, seguita da Marie Lacore che protestava contro quell'imprudenza.

Ebbene, a Maigret mancò il coraggio di parlare. Preferì ultimare il suo lavoro, e quando finalmente il barile si aprì in due, e ne uscirono dei rotoli di carta che altro non erano se non i titoli di rendita e le obbligazioni delle ferrovie che erano stati infilati lì dentro attraverso il cocchiume, non cacciò nemmeno un sospiro di soddisfazione.

Maigret avrebbe voluto andarsene subito, oppure, come un qualunque Marcel, attaccarsi a una bottiglia di rum e mandar giù una bella sorsata.

Amélie era sempre muta, la bocca semiaperta. Se fosse svenuta, sarebbe caduta fra le braccia di Marie Lacore, che era meno forte, e per di più fragile a causa del suo stato.

Pazienza! Era una scena d'altri tempi, di un altro mondo. Maigret prese i titoli e avanzò verso Amélie, mentre lei indietreggiava, poi posò i documenti sul tavolo della camera da letto. Aveva un nodo alla gola.

«Vada a chiamare il sindaco...» disse a Marie Lacore con voce asciutta. «Mi servirà da testimone...».

E ad Amélie:

« Lei sarà meglio che torni a letto... ».

Nonostante la curiosità professionale e la corazza che si era fatto con gli anni, preferì non guardarla. Udì soltanto il cigolio delle molle del letto. E se ne restò lì, dandole le spalle, finché non arrivò un fattore, che era il sindaco del borgo e quasi non osava entrare.

In paese nessuno aveva il telefono. Dovettero mandare qualcuno in bicicletta fino a Vitry-aux-Loges. I gendarmi e il camioncino del macellaio arrivarono quasi contemporaneamente.

Il cielo era sempre di un bianco accecante e il vento da ovest agitava gli alberi.

« Ha trovato qualcosa? ».

Maigret rispose evasivamente: era di cattivo umore, anche se sapeva che quel caso sarebbe stato oggetto di lunghi studi per gli archivi criminali non solo di Parigi, ma anche di Londra, Berlino, Vienna e perfino New York.

A guardarlo, si sarebbe giurato che fosse ubriaco!

RUE PIGALLE

Il cliente occasionale che si fosse trovato a entrare nel ristorante Da Marina, probabilmente non si sarebbe accorto di nulla. Lucien, il padrone, infagottato in un maglione beige che lo faceva sembrare più basso e tarchiato, trafficava con le sue bottiglie dietro il bancone, travasava, ritappava, sostituiva meticolosamente la guarnizione del rubinetto, e la sua aria imbronciata la si sarebbe potuta imputare all'ora e al tempo.

Era infatti una mattinata grigia e più fredda del solito, una di quelle mattine in cui ci si aspetta la neve e si ha voglia di starsene a letto. Mancava qualche minuto alle nove, e rue Pigalle non era molto animata.

Il suddetto cliente si sarebbe però chiesto chi fosse quell'omone col cappotto pesante che fumava la pipa, seduto con le spalle alla stufa, mentre riscaldava fra le mani il bicchiere che aveva davanti, e certo non avrebbe pensato al commissario Maigret, della Polizia giudiziaria.

China per terra, avrebbe visto la serva, Julie, una bretone dall'aria perennemente spaventata, col viso punteggiato di lentiggini e il grembiule sudicio, intenta a strofinare le gambe dei tavoli.

Nei ristoranti di Pigalle è raro che si cominci di buonora. C'erano ancora le pulizie da fare, bicchieri sporchi dappertutto, e dalla porta aperta della cucina si vedeva la padrona in persona, Marina, ancora più sporca e trasandata della sua sguattera.

L'atmosfera era tranquilla, familiare. Al tavolo in fondo c'erano ancora due avventori, ma non avevano poi una così brutta cera, nonostante la barba lunga e gli abiti gualciti, di chi ha passato la notte in piedi.

In verità, il cliente che fosse entrato all'improvviso avrebbe avuto l'impressione di un ristorante come gli altri, un ristorante frequentato da habitué, non tanto pulito, certo, ma nemmeno sgradevole in quel freddo mattutino.

Lo stesso cliente, però, avrebbe probabilmente cambiato idea vedendo tutt'a un tratto Maigret avvicinarsi all'attaccapanni, frugare nelle tasche del cappotto di cammello di uno dei due uomini e, senza batter ciglio, cavarne un pugno americano, commentando bonariamente:

«Ehi, Christiani!... È sempre lo stesso?».

Una mezz'ora prima, arrivando al Quai des Orfèvres, Maigret aveva ricevuto la telefonata di un uomo che insisteva per parlare con lui in persona. L'interlocutore si sforzava palesemente di alterare la voce.

«È lei, commissario?... Senta un po', c'è stata baruffa stanotte, da Marina... Se va a fare un giro da quelle parti, può darsi che incontri il suo amico Christiani... E potrebbe venirle in mente di chiedergli notizie di Martino... Sa, il piccoletto di Antibes, che ha un fratello che si è appena imbarcato per la Guyana?...».

Non ci vollero più di cinque minuti perché Maigret venisse informato che la telefonata proveniva da un bar tabacchi di rue Notre-Dame-de-Lorette. Un quarto d'ora dopo il commissario scendeva da un taxi all'angolo di rue Pigalle: era il momento in cui si lavano le strade, e i fiotti d'acqua spingevano cumuli di sporcizia lungo i canali di scolo.

Maigret, pur essendo ancora all'oscuro di tutto, era certo che si trattasse di una faccenda seria, se non serissima, perché quel genere di soffiate non erano quasi mai campate per aria.

E già mentre risaliva la strada a passo lento ne ebbe la conferma. Praticamente di fronte al ristorante Da Marina sbucava, inatteso fra tanti locali notturni, un baretto tenuto da alverniati. E lì dentro, appostati dietro la porta a vetri, il commissario riconobbe due uomini, il Nizzardo e Pepito, due tipi che non si facevano mai vedere in giro così presto, e tanto meno in un bar come quello.

Un istante dopo, Maigret entrò nel ristorante dirimpetto e, in fondo al locale, scorse Christiani in compagnia di una giovane recluta, René Lecoeur, detto il Contabile perché aveva lavorato come impiegato di banca a Marsiglia.

In quel genere di affari, non bisognava stupirsi di niente.

Maigret portò la mano alla bombetta e salutò tutti come un qualsiasi cliente abituale che viene a bersi il suo bicchierino.

«Tutto bene, Lucien?».

Ma non gli sfuggì il tremolio del tovagliolo fra le mani del padrone, né che la cameriera, raddrizzandosi di scatto, aveva picchiato la testa sotto un tavolo.

«Fatto il pienone, stanotte?... Un caffè e un bicchierino di calvados...».

Poi, entrando in cucina:

«Tutto bene, Marina?... Ho visto che ti hanno rotto uno specchio, dietro il bancone...».

Gli era subito saltato all'occhio: in uno degli specchi si notava l'impatto di un proiettile.

«È roba vecchia...» si affrettò a spiegare Lucien. «Un tipo mai visto prima, che aveva appena comprato una pistola senza sapere che era carica...».

Da quel momento in poi, tutto procedette al rallentatore. Dopo più di un quarto d'ora che Maigret era lì, non erano state scambiate nemmeno venti frasi. La serva continuava il suo lavoro, Lucien se ne stava dietro al banco, Marina si dava da fare in cucina, e intanto il commissario fumava la sua pipa, sorseggiava il suo calvados, ogni tanto andava a dare un'occhiata al bistrot di fronte e poi se ne ritornava accanto alla stufa.

Maigret conosceva quel locale come le sue tasche. Lucien, dopo aver avuto qualche noia a Marsiglia, si era messo in riga e, insieme alla moglie, aveva aperto quel ristorantino. La clientela era composta soprattutto da vecchi amici: pregiudicati, si capisce, ma che per lo più avevano, come lui, messo giudizio, se non si erano addirittura imborghesiti.

Era il caso di Christiani, uno che dieci anni prima, al momento del suo arresto, non ci aveva pensato due volte a colpire Maigret con un tirapugni, e che adesso era proprietario di due case di tolleranza, una a Parigi e l'altra a Barcelonnette.

Lo stesso, suppergiù, valeva per i due nel bar di fronte, soprattutto per il Nizzardo, le cui case purtroppo facevano concorrenza a quelle di Christiani.

Il Nizzardo apparteneva alla banda dei Marsigliesi, come si diceva nel giro, mentre Christiani era il capo dei Corsi.

«Di' un po', è da tanto che il tuo amichetto staziona dall'alverniate qui di fronte?».

«Io non mi occupo di uno come lui!» ribatté Christiani con aria sprezzante.

«Può darsi! Si direbbe però che lui si occupi di te.

Anzi, se non sapessi che sei un uomo, potrei anche pensare che è la sua presenza in quel bistrot a impedirti di uscire...».

Pausa. Sorso di calvados.

«Già... È proprio così che m'immaginerei le cose... Stanotte, per qualche motivo, c'è stata baruffa... E da allora il Nizzardo e Pepito vi stanno aspettando fuori, sicché non avete potuto far altro che dormire tutti e due sui divanetti...».

Mentre parlava, si avvicinò al Contabile, tamburellando le dita sulle finte pieghe del gilet.

«Quello che mi chiedo, però, è cosa possa essere successo, visto che, come tutti sanno, a Lucien non piace subire danni, e tu non sei più il tipo da comprometterti... A proposito, il fratello di Martino, che si è imbarcato ieri all'Île de Ré, ti manda i suoi saluti...».

E tutto questo veniva detto in tono cordiale! Addirittura affabile! Ciò non toglie che Christiani aveva fatto un salto sulla sedia e Maigret, approfittando che il Contabile fosse in piedi, gli aveva palpato le tasche e ne aveva tratto un grosso coltello a serramanico.

«Attento, giovanotto!... È pericoloso andare in giro con gingilli di questo genere... E tu, Christiani, non hai niente per me?».

L'altro fece spallucce, tirò fuori un revolver Smith & Wesson e lo porse al commissario.

«Ma guarda un po': manca una pallottola... Probabilmente la stessa che ha rotto lo specchio... Mi stupisce, a questo proposito, che tu non l'abbia sostituita e non ti sia preoccupato di pulire la canna...».

Si infilò coltello, tirapugni e revolver nella tasca del cappotto e, senza darlo a vedere, si mise a ispezionare ogni angolo, perfino la ghiacciaia e la cabina del telefono. Ma era soprattutto il suo cervello a lavorare. Cercava di capire. Imbastiva delle ipotesi, che scartava l'una dopo l'altra.

«Sai che il Nizzardo ha detto a Martino che suo

fratello è stato "venduto"? Questo, almeno, è quel che ho sentito... Se ti passo la dritta, è perché tu gli stia alla larga: potrebbe avere delle rimostranze da farti, e di solito gira armato...».

«Dove vuole andare a parare, commissario?» borbottò Christiani, mantenendosi, in apparenza, calmo quanto lui.

«Da nessuna parte... Mi piacerebbe incontrare Martino... Non so perché, ma sarei curioso di vederlo...».

Nel frattempo, Maigret aveva controllato che non ci fosse nessun altro, vivo o morto, nascosto nel locale, ivi compreso in cucina e nella camera da letto di Lucien e Marina, attigua al ristorante.

Alle nove e mezzo un fattorino consegnò una cassa di aperitivi, poi, quasi contemporaneamente, si fermò davanti al palazzo un enorme furgone giallo dei Voyages Duchemin, che dopo un po' ripartì.

«Dammi una fetta di salame, Marina, di quello che fai tu...».

Maigret si interruppe di colpo e aggrottò la fronte: dalla camera da letto era sbucato un altro uomo, che sembrava sorpreso quanto lui.

«E tu da dove salti fuori?».

«Stavo... riposando...».

Era Fred, il socio di Christiani in certi affari; mentiva, perché Maigret si era appena assicurato che la stanza fosse vuota.

«A quanto vedo,» borbottò il commissario «siete tutti talmente affezionati a questo locale che non volete più andarvene!... Forza! Fuori il ferro...».

Fred ebbe un attimo di esitazione, poi gli porse il revolver, anche lui uno Smith & Wesson, questa volta con le cartucce al completo.

«Poi me la ridà?».

«Può darsi... Dipende da quello che mi dirà Martino... Arriverà da un momento all'altro... Gli ho dato appuntamento qui...».

Scrutò i loro volti, e vide René Lecoeur prima sbiancare, poi buttar giù un bicchiere pieno fino all'orlo.

Ancora uno sforzo... Doveva trovare qualcosa, a qualunque costo. E, nel preciso istante in cui, buttando l'occhio alla strada, vide passare un camion, trovò quello che cercava.

«Va' nella cabina e stacca il ricevitore...» ordinò a Christiani.

Non voleva andarci lui per non perdere di vista i tre gaglioffi.

«Chiedi la Polizia giudiziaria... Fatti passare Lucas... È in linea?... Dammi la cornetta...».

Per fortuna il filo era abbastanza lungo.

«Lucas?... Telefona subito ai Voyages Duchemin... Bisogna rintracciare uno dei loro furgoni, quello che ha appena fatto una consegna o ritirato della merce in rue Pigalle... Chiaro?... Scopri di cosa si tratta... Sbrigati!... Sì, io resto qui...».

Poi, rivolto verso la cucina:

«Marina! Questo salame?».

«Eccolo, commissario... Eccolo...».

«Non credo che i signori vogliano favorire... Se il sottoscritto ha visto giusto, non devono avere molto appetito...».

Alle undici e dieci ancora nessuno si era mosso, inclusi il Nizzardo e il suo compare nel bar di fronte. Alle undici e undici Lucas saltò giù da un taxi, eccitatissimo, spinse la porta e fece segno a Maigret che aveva qualcosa di importante da dirgli.

«Parla pure davanti a questi signori, sono amici...».

«Sono riuscito a intercettare il furgone in boulevard Rochechouart... Hanno ritirato un baule... Il cliente ha telefonato da questo palazzo... Un inquilino del terzo piano, il signor Béchevel... Un baule enorme, o meglio un cassone, da spedire a Quimper con la posta normale... ».

« E tu l'hai lasciato partire, spero! » scherzò Maigret.

« L'ho fatto aprire... C'era dentro un cadavere, quello di Martino, il fratello di... ».

« Lo so... Poi?... ».

« Il dottor Paul era a casa, ed è venuto subito... Nel corpo c'era ancora la pallottola, e l'ho recuperata... ».

Maigret se la rigirò fra le dita con aria indifferente, mormorando come fra sé e sé:

« Una Browning 6,35... Vedi come casca male: questi signori, che hanno passato la notte qui, hanno solo delle Smith & Wesson... ».

Nessuno poteva prevedere quel che avrebbe fatto. Perfino in quel momento, chiunque fosse entrato non avrebbe intuito la drammaticità della situazione, e Lucien, sempre dietro il suo bancone, s'industriava per tenersi occupato.

« Vuoi che ti dica quel che penso?... Tanto rimarrà fra noi, giusto?... Stanotte Martino, che aveva alzato un po' il gomito, si è messo in testa che, se hanno imbarcato suo fratello, la colpa è di Christiani... Allora è venuto a chiedergli spiegazioni... E, cosa vuoi, era così nervoso che gli è capitato un incidente... Mi segui? ».

Anche Lucas si domandava dove volesse andare a parare il suo capo. Christiani si accese una sigaretta ed espirò il fumo con finta disinvoltura.

« Solo che, in strada, c'erano il Nizzardo e Pepito... Non hanno osato entrare, ma hanno preferito aspettare che gli altri uscissero.

« Ci sei, adesso?... Ecco perché i nostri amici qui presenti hanno dormito sui divanetti. Intanto il Nizzardo rimaneva di guardia qui fuori, poi, alle prime ore del mattino, è andato ad appostarsi dall'alverniate... La vera seccatura era quel benedetto cadavere:

non si poteva mica lasciarglielo sul gobbo a Lucien... Tu cosa avresti fatto, Christiani?... Tu che sei un tipo intelligente...».

Christiani fece spallucce con aria sdegnosa.

«Di' un po', Lucien... Chi è 'sto Béchevel che abita al terzo?...».

«Un vecchio invalido...».

«Proprio come pensavo... All'alba qualcuno è salito da lui e gli ha fatto capire che era meglio non fare storie... Prima che si svegliasse il palazzo, hanno portato su il cadavere passando dal retro e l'hanno chiuso dentro un baule del vecchio... Poi hanno telefonato ai Voyages Duchemin... Va' su al terzo a chiedere se è andata così... Scommetto quello che vuoi che ti darà i connotati di Fred, perché è stato lui a incaricarsi del lavoretto...».

«E questo cosa prova?» grugnì Fred.

«Di certo non prova che sei stato tu a farlo secco... Marina!... Dai anche a loro un po' di salame, va'. Li porto al Quai, e mi sa che le cose andranno per le lunghe...».

Come se la situazione non fosse affatto drammatica! Tant'è che un tizio entrò da Lucien per riscuotere un pagamento e non si accorse di nulla.

«Non hai ancora niente da dirmi, Christiani?».

«Niente...».

«E tu, Contabile? A proposito, è la prima volta che ti trovo immischiato in una faccenda seria...».

«Non capisco di cosa parla» fece il ragazzo con voce tesa.

«Allora, non ci resta che aspettare Lucas...».

Aspettarono. Anche gli altri, nel bar di fronte, aspettavano. La strada era sempre più animata mentre il cielo si andava schiarendo un po' e la luce diventava più bianca.

«Una vera sfortuna, Lucien, che sia capitato nel

tuo locale!... Mai lasciar rompere gli specchi... Porta iella...».

Lucas era già di ritorno.

«Aveva ragione!...» annunciò. «Ho trovato quel pover'uomo imbavagliato... Mi ha descritto l'aggressore, e i connotati sono quelli di Fred, ma dice che stanotte ce n'era un altro che non è riuscito a vedere... Gli sono saltati addosso mentre dormiva...».

«Basta così!... Chiama un taxi... Aspetta!... Telefona anche alla centrale perché mandino qualcuno a tener d'occhio quelli di fronte, che non facciano cagnara...».

Poi, grattandosi la testa, Maigret guardò i tre marpioni e sospirò:

«Chissà che nel frattempo non salti fuori chi di voi ha sparato...».

Intanto, con l'aria di chi ha tempo da perdere e non sa che fare, tirò fuori tutta la santabarbara e la dispose su un tavolo, mettendo il tirapugni accanto alle pistole di Christiani e di Fred, e un po' più in là il coltello di Lecoeur.

«Non lasciarti spaventare da quello che sto per dirti, figliolo» disse al ragazzo, che sembrava sul punto di svenire. «Per te è la prima volta, ma probabilmente non sarà l'ultima... Questa pistola, vedi, è effettivamente quella di Christiani, che è nel mestiere da troppo tempo per accontentarsi di una misera Browning come quella che ha ucciso Martino... Fred è anche lui un veterano a cui piacciono le armi serie... Quando è scoppiata la lite, Christiani ha sparato, ma qualcuno deve avergli spinto il braccio perché il colpo è finito contro lo specchio... Poi hai tirato tu, con la tua misera Browning...».

«Io non ho nessuna Browning» riuscì a proferire il Contabile.

«Appunto! Ed è proprio perché non ce l'hai che sei stato tu a sparare. Fred si è tenuto in tasca la pistola perché sapeva che lo avrebbe discolpato. Christiani non ha nemmeno pulito la sua, per mostrare che ha esploso un colpo solo, e che il proiettile è andato a vuoto... Tutti e due sanno cos'è una perizia, e sono stati al gioco... Tu, invece, la tua dovevi farla sparire, perché avrebbe dimostrato che l'assassino sei tu... Dove l'hai messa?».

«Io non ho ucciso nessuno!».

«Ti ho chiesto dove l'hai messa... Fattelo dire da Christiani... È troppo tardi per fare il furbo...».

«Non troverà nessuna Browning...».

Maigret gli lanciò un'occhiata di commiserazione e mormorò un «Povero imbecille!» che si udì appena.

Doppiamente povero e doppiamente imbecille, perché non era con lui che Martino ce l'aveva, e perché, se aveva mirato giusto, era solo per provare agli altri che aveva fegato.

Quando tornò Lucas, Maigret gli intimò sottovoce:

«Cerca dappertutto... Specialmente sul tetto... Non sono così stupidi da aver nascosto la pistola da Lucien, né a casa del vecchio... Se sopra, in fondo alle scale, c'è una finestrella che dà sul tetto...».

Poi si portò via tutta la comitiva, mentre un paio di passanti che ostentavano un'aria troppo innocente per essere vera tenevano d'occhio il bistrot di fronte.

Christiani, avvolto nel suo cappotto di cammello, aveva assunto il contegno del buon borghese arrestato per errore che verrà subito rilasciato con tanto di scuse. Fred faceva il gradasso. Il Contabile si sforzava di mantenere i nervi saldi.

Una vicenda da manuale. Maigret diceva sempre che, senza l'intervento del caso, il cinquanta per cento dei criminali la farebbe franca, e senza le soffiate l'altro cinquanta per cento rimarrebbe in libertà.

Poteva sembrare una battuta, soprattutto quando la declamava con il suo vocione cordiale.

Fatto sta che lì la soffiata c'era stata, e poi ci aveva messo lo zampino il caso, facendogli cadere l'occhio sul furgone giallo dei Voyages Duchemin.

Ma non c'entrava anche una buona percentuale di mestiere, di esperienza del genere umano, e di quello che si chiama fiuto?

Alle tre del pomeriggio veniva trovata la Browning sul tetto, dove era stata effettivamente lanciata attraverso la finestrella.

Alle tre e mezzo il Contabile confessava piangendo, e Christiani, dando l'indirizzo di un celebre avvocato, dichiarava:

«Vedrà che me la caverò con sei mesi!».

Al che Maigret, senza guardarlo, sospirò:

«Io, quella volta del tirapugni, me l'ero cavata con due denti...».

UN ERRORE DI MAIGRET

Esistono persone alle quali non si può nemmeno spaccare la faccia, per paura di sporcarsi le mani! Da tre o quattro ore, da quando gli avevano affidato il caso di rue Saint-Denis, Maigret aveva i nervi a fior di pelle: era il Maigret delle giornate storte, il Maigret nauseato, disgustato al punto da diventare sfuggente, il Maigret cui nessuno al Quai des Orfèvres osava rivolgere la parola.

« Chiamami un taxi! » ordinò all'usciere.

E mentre scortava il suo « cliente » per i corridoi, poi giù dalle scale, attraverso il cortile e fuori sul marciapiede, dava proprio l'impressione di tenerlo con le pinze.

« Al 27 bis di rue Saint-Denis... ».

Maigret tirò verso di sé i lembi del cappotto, quasi volesse evitare qualsiasi contatto con quell'individuo.

Eppure non era nemmeno un pregiudicato. Aveva la fedina penale immacolata. Faceva il commerciante. Era un uomo sui quarantacinque anni, vestito in modo decoroso, senza ricercatezza: un completo non nuovissimo, ma di taglio discreto; un cappotto di ratina grigia dell'anno precedente. Dal fisico, si sarebbe detto uno di quei tipi – come se ne incontrano tanti nelle zone commerciali – che vendono aspirapolvere elettrici o trafficano in faccende di commissioni.

Si chiamava Eugène Labri. Un francese nato al Cairo, o a Port-Said. Grasso. Con gli occhi scuri e lucidi. Ossequioso.

«Prego, dopo di lei, signor commissario».

E Maigret sibilava fra i denti:

«Farabutto!».

Avrebbe preferito aver a che fare con uno di quei giovincelli contagiati dal fascino del crimine che, un bel giorno, fanno secca una portinaia o svaligiano una negoziante. Avrebbe scambiato volentieri due parole con un vero topo d'appartamento, di quelli che conoscono il proprio mestiere e che lo esercitano con una sorta di coscienza professionale...

E invece aveva di fronte un informatore, una spia, una canaglia di mezza tacca, un piccolo borghese che gli faceva i salamelecchi.

Aveva di fronte il proprietario della Librairie Spéciale, in rue Saint-Denis, e già il nome era tutto un programma.

Situata fra una salumeria e un parrucchiere, la libreria era chiusa e Labri dovette usare le chiavi per aprire un'imposta. Era una bottega lunga e stretta, quasi un corridoio. La vetrina non era più larga di un metro, ma un metro così ben sfruttato che vi ci stava un'intera collezione di volumi dai titoli promettenti, dalle copertine ammiccanti, avvolti nel cellophane per infittirne il mistero.

Erano le cinque del pomeriggio, l'ora in cui, il giorno prima, doveva aver avuto luogo il delitto. La folla sfilava sul marciapiede, alcuni passavano con pacchettini di cibarie, i taxi sfrecciavano ignari...

Maigret richiuse la porta e, visto che c'era – quelli come Labri erano prudenti –, mise la catenella, poi spinse l'uomo perché avanzasse.

«Mostrami il tuo ufficio...».

Quasi quasi avrebbe preferito dargli del lei! L'altro continuava a mostrarsi premuroso come se stesse ricevendo un cliente.

«Faccia attenzione alla scala... È piuttosto ripida...».

In fondo, dietro il banco, c'era una scala stretta, come se ne trovano in quei bistrot dove si è dovuta ricavare una toilette di fortuna nel seminterrato.

Labri non la smetteva di profondersi in smancerie:

«Chiedo scusa se le passo davanti...».

Da basso c'era una tenda di velluto rosso, e dietro la tenda uno strano stanzino: un po' biblioteca, a giudicare dagli scaffali colmi di libri, un po' boudoir, a giudicare dal divano, rosso anche quello, e dal grande specchio sul fondo.

Quel che probabilmente i clienti non sospettavano era che, di fianco alla tenda, nella penombra, si trovava una porta: Labri l'aprì con disinvoltura e accese la luce.

«Come vede, è molto sobrio...» si scusò con uno dei suoi sorrisi che a Maigret veniva voglia di spappolare con un pugno.

In effetti, era sobrio. Una scrivania di legno chiaro di quelle fabbricate in serie. Uno schedario di metallo dipinto di verde. A destra, un fornelletto a gas, una teiera e qualche tazza... Un attaccapanni e una bacinella per lavarsi le mani...

La mole di Maigret era troppo imponente per quello scantinato trasformato in antro del vizio, in trappola per avvinazzati, dove il suo cappello sfiorava il soffitto. Si sentiva soffocare...

«Da dove spiavi quello che succedeva di là?».

Come un bravo bottegaio che mostri i libri tenuti

aggiornati, Labri sollevò un calendario appeso al muro rivelando un'apertura che dava sul boudoir attiguo.

«Da qui... Spegnevo la luce... Dall'altra parte c'è un finto specchio...».

A Maigret saliva alle labbra come un ritornello sempre la stessa parola:

«Farabutto!».

Un mascalzone, sì! Ma un mascalzone prudente, un mascalzone armato di Codice penale e che aveva fatto una sorta di accordo con la polizia. Grazie a una pubblicità mirata, la Librairie Spéciale attirava nel negozio di rue Saint-Denis gli appassionati di letteratura erotica.

«La signorina Émilienne mostrerà personalmente agli interessati...» promettevano i volantini.

Capitava, in effetti, che la signorina Émilienne, la commessa, scendesse nel boudoir con qualche panciuto cliente per presentargli una qualche edizione rara da quattro o cinquecento franchi.

... Mentre Labri, dal suo spioncino...

I fatti erano semplici. Due giorni prima Labri aveva venduto il negozio, e doveva occuparsene ancora per otto giorni prima di consegnarlo all'acquirente.

«... La commessa rimarrà ovviamente a disposizione del nuovo proprietario...» prevedeva il contratto.

La vigilia, alle undici di sera, due brigadieri in bicicletta si erano stupiti di trovare il negozio ancora illuminato. Uno dei due era entrato: non vedendo nessuno al pianterreno, era sceso nel seminterrato come aveva appena fatto Maigret, e nel boudoir aveva scoperto il cadavere di una giovane donna.

Era la signorina Émilienne, la commessa che Labri aveva rifilato al suo successore insieme alla libreria.

Già dal mattino Labri, che abitava in un appartamentino in rue de Metz, era stato interrogato dal commissario di quartiere e all'inizio aveva mentito.

«Verso le cinque, come faccio sempre,» aveva dichiarato «ho preparato il tè sul fornelletto. La signorina Émilienne è venuta a prenderne una tazza, che penso abbia bevuto nella stanza accanto. Io ho preso il tè da solo, poi, dato che avevo degli appuntamenti in centro, me ne sono andato e ho lasciato alla commessa il compito di chiudere... La signorina Émilienne era con me da quattro anni, e avevo cieca fiducia in lei...».

Con ogni evidenza la signorina Émilienne era stata avvelenata dalla tazza di tè che aveva bevuto.

Il commissario che aveva torchiato Labri prima di Maigret non era andato tanto per il sottile, come dimostrava il livido sulla tempia destra dell'uomo. E, nel giro di un'ora, aveva ottenuto la seguente confessione:

«Ammetto che, verso le sei, mentre sbrigavo le ultime incombenze nel mio ufficio, ho trovato la mia commessa inerte nel boudoir... Ho pensato che stesse dormendo... Me ne sono andato con l'idea di ritornare più tardi...».

Era una versione quasi plausibile, giacché il medico legale attribuiva il decesso all'ingestione di una forte dose di sonnifero.

«Quindi, quando lei se n'è andato la signorina Émilienne non era morta?».

«Me ne sarei accorto... Non era fredda...».

«Non le è venuto in mente di chiamare un dottore?».

«Nel nostro lavoro, è meglio evitare gli scandali... Lei lo sa quanto me...».

E aveva calcato sulle ultime parole, lasciando così intendere che gli capitava di rendersi utile alla polizia procurando certe informazioni.

Insomma, lui aveva lasciato la signorina Émilienne quand'era ancora viva. Poi, diceva, non era più potuto tornare in rue Saint-Denis, la faccenda gli era uscita di mente e se n'era andato a dormire.

Questi erano i fatti che Maigret, con una smorfia di disprezzo sulle labbra, rimuginava nel suo capoccione, mentre in rue Saint-Denis la vita di un quartiere popolare continuava il suo corso e, in uno scantinato dal profumo nauseabondo, Labri si atteggiava a commerciante in regola con le leggi dello Stato e con la propria coscienza.

«Io non ho niente da rimproverarmi, glielo giuro... Può controllare questi volumi uno per uno... Le copertine saranno anche accattivanti, ma il contenuto è assolutamente irreprensibile... Ed è appunto per questo che per venderli ci voleva una ragazza abile... Capisce?... Quando i clienti scendevano giù con Émilienne, diventavano intraprendenti... Lei li rimetteva al loro posto e li costringeva ad acquistare un'opera costosa...».

Sorrideva! Trovava la cosa divertente!

«Se non l'avessi trattata bene, non sarebbe rimasta con me quattro anni... Ero io a preparare il tè... I pomeriggi sono lunghi...».

Soprattutto in quell'ufficietto senza ossigeno, in quel seminterrato che pareva così lontano dalla vita!

«So cosa pensa... Mi accusano di aver ucciso Émilienne... Ma, innanzitutto, che interesse avrei avuto, visto che il contratto di vendita dice che lei faceva parte del negozio?... Il mio acquirente ha firmato un certo numero di tratte, e avrei rischiato delle noie con i pagamenti... E dunque...».

Parlava con bonarietà, strizzando l'occhio a Maigret per prenderlo a testimone della propria buona fede.

«Del resto, come l'avrei avvelenata?... Mi hanno detto stamattina che, stando al medico, aveva ingerito otto compresse di sonnifero... Ha mai preso un sonnifero, lei?... No?... A me è capitato... È così amaro che non si può certo farlo mandar giù a qualcuno a sua insaputa...».

«Eh già!...».

E se Maigret diceva: «Eh già», era perché a questo aveva una risposta. La signorina Émilienne, che aveva visto all'Istituto di medicina legale, era una ragazza cagionevole di salute, e proprio il suo pallore doveva risultare attraente per i clienti. Ma Labri, recitando la parte del buon paparino, poteva averle fatto trangugiare il tè amaro spacciandolo per una tisana medicinale.

«Le assicuro che sta sbagliando strada, signor commissario! Se fossi stato io a somministrarle il sonnifero, avrei fatto in modo che l'effetto non si producesse nel mio negozio, così da non aver fastidi...».

Ci aveva già pensato, quella canaglia! Anticipava le accuse. Era come se stesse conducendo la sua piccola controinchiesta...

«Che interesse avrei avuto?».

Già, che interesse? Era la domanda che si poneva anche Maigret, perché ormai aveva inquadrato il genere e sapeva che non era tipo da fare qualcosa per niente.

Maigret fumava la sua pipa e intanto rovistava nei cassetti della scrivania, finché, in uno schedario, trovò alcune lettere che erano state archiviate fra la corrispondenza commerciale, e che invece erano lettere d'amore.

Granville, 6 agosto

«Mio adorato,

«sono tre giorni che sto lontana da te e mi sembra impossibile, tesoro mio, rimanere più a lungo senza la tua presenza, senza...».

E così via, per due pagine. Firmato: «Colei che sarà la tua amante per sempre, Émilienne».

137

Maigret squadrava il suo pingue interlocutore, fumava, mordeva il freno.

« Un dramma d'amore? » gli chiese con feroce sarcasmo.

E l'altro, civettuolo:

« E perché no? ».

Quanto erano lontani dal mondo reale, dalla gente sana di corpo e di mente che camminava lassù, per la via, oltre quello spiraglio che fungeva da finestra, nell'aria fredda dell'inverno!

Maigret guardava lo spioncino che permetteva di sorvegliare il boudoir al di là del muro, poi guardava quell'essere immondo, e a stento tratteneva i suoi grossi pugni.

« Non vorrai mica pretendere che si è suicidata? ».

« Io non avevo alcun interesse a ucciderla e a procurarmi dei guai, soprattutto adesso che sto per ritirarmi nei dintorni di Nizza, dove ho comprato una villa... ».

Labri si difendeva con le unghie e con i denti, o meglio, viscido com'era sgusciava fra le dita, e la collera del commissario cresceva. Maigret sapeva, all'occorrenza, mettersi al posto di uno che aveva fatto un colpo di testa per cercare di capirne la psicologia. I mercanti di sogni di Montparnasse e i mercanti di corpi di Montmartre non avevano segreti per lui.

Di Parigi conosceva, per così dire, ogni sasso, però mai – e se ne pentiva – era sceso in un antro di quella specie e aveva incollato la faccia allo spioncino di uno come Labri.

« Più ci rifletterà, più si convincerà che sono innocente e che tutta questa storia mi arreca danno... ».

Tirava fuori parole così! Parlava del suo traffico come se fosse stato un commercio regolare! Poco ci mancava che non esibisse i libri contabili!

« Più ci rifletterò, » non poté fare a meno di ribattere Maigret « e più avrò voglia di spaccarti la faccia! ».

Non poteva più vederla, quella faccia, che era brutta e bella insieme, perché l'indolenza della bocca, del mento veniva compensata da un certo languore degli occhi...

Era un essere ignobile nel vero senso della parola, il classico individuo a cui, in virtù di un certo fascino, si perdona tutto il resto.

Di fronte a quell'uomo Maigret provava una rabbia non dissimile a quella di un padre che si trova a dover vendicare la propria figlia.

Tutt'a un tratto avanzò verso di lui e gli mise il pugno chiuso sotto il naso.

«Confessa!» tuonò.

L'oscena paura dell'altro, sintomo della sua viltà, non faceva che peggiorare le cose.

«Confessa, farabutto!... So benissimo, perdio, che hai preso le tue precauzioni...».

E Labri indietreggiava, si appiattiva contro il muro, ogni fibra del suo corpo sembrava cedere.

«Émilienne era la tua amante... Era al corrente di tutte le porcherie che hai architettato qui... È per questo che hai preferito ucciderla prima di andare a campare di rendita nella tua villa a Nizza...».

«Signor commissario...».

«Confessa, ti dico!... Confessa che, con la scusa di farle prendere una medicina qualunque, l'hai avvelenata... E poi, visto che ci metteva tanto a morire, te ne sei andato, da quel lurido vigliacco che sei...».

«Signor commissario...».

Maigret non pensava nemmeno più al vento dell'est che, fuori, faceva rialzare il bavero dei cappotti e spazzava via i miasmi della città. Rivedeva la ragazza dal viso lungo, gli occhi slavati, le labbra sottili, che era sempre stata cagionevole e che Labri aveva confinato in quello scantinato per truffare dei vecchi libidinosi.

«Confessa, farabutto...».

«Glielo giuro, signor...».

«Non giurare! Confessa!».

«Si pentirà del suo modo d'agire...».

Era la frase sbagliata, quella che poteva mandare Maigret fuori dai gangheri.

«Cos'hai detto?».

«Ho detto che se ne pentirà... Sta facendo un errore... Lei abusa della sua forza...».

«Cos'hai detto?».

«Che abusa...».

«E tu osi dire questo dopo le lettere di quella ragazza?... Osi sostenere che non eri il suo...».

Stava davvero per colpirlo. Aveva già il pugno alzato quando squillò il telefono.

«Pronto!... È lei, commissario?... Abbiamo appena ricevuto dal medico legale le conclusioni dell'autopsia... Pronto!...».

Labri, addossato al muro, non muoveva un muscolo. Maigret, esasperato, urlò nell'apparecchio:

«Sì, ti sento!».

E si tratteneva dal terminare il suo gesto...

«Allora?... Cosa c'è?...».

E la voce del brigadiere Lucas, dall'altro capo del filo:

«Ecco... Come le stavo dicendo... La ragazza è... Cioè, pare che fosse ancora vergine...».

Come un automa, Maigret riagganciò. Di colpo gli era tutto chiaro. Poteva succedergli di sbagliare, ma non gli ci voleva molto per rendersene conto.

«Vedo con piacere che ha ritrovato la calma...» fu la malaugurata uscita di Labri.

«Come?».

«Niente... Io...».

Maigret serrò i pugni con tutte le sue forze, perché adesso sapeva che era ancor peggio di quel che avesse immaginato. Fissava con uno sguardo quasi distaccato quel mascalzone contro il quale non aveva più alcun potere.

« È vero... Non l'hai uccisa tu... » sospirò.

Di fronte alla legge degli uomini, infatti, Labri non era responsabile!

« Non l'hai uccisa tu... ».

Non con le sue mani, no! Né con il veleno! L'aveva uccisa con quello scantinato, che infettava come un morbo infamante una strada brulicante di vita.

Quella Émilienne che aveva risposto un giorno al suo annuncio « Cercasi commessa di bell'aspetto » era una ragazzina del tutto sprovveduta! Sbarcata dalla sua provincia, di Parigi aveva visto solo quella trappola per vecchi signori, che lei aveva l'incarico di far sbavare...

Labri era il solo uomo che avesse frequentato...

Labri, con la sua faccia paffuta ma lo sguardo di velluto, le aveva fatto credere, da bravo commerciante, che si può essere amanti senza...

Perché aveva ragione! Non l'aveva toccata! Era troppo furbo. Non voleva, per la soddisfazione di un istante, privarsi della gallina dalle uova d'oro. E lei, da Granville, dov'era in vacanza, gli scriveva: « La tua amante »... senza sapere che per essere amanti...

E già! Era tutto chiaro! Maigret si era sbagliato! Émilienne non sapeva! Émilienne, quando vendeva i suoi libri dall'altro lato dello spioncino, aveva bisogno di tutta la sua innocenza per... per fare l'innocente! Per far prosperare gli affari! Per essere più vera del vero! Più sciocca del vero! Per essere quella che i vecchi clienti abituali indicavano sussurrando:

« È davvero una sprovveduta! ».

Usando però un'altra parola, che caratterizzava meglio lo stato fisico di Émilienne...

Fino al giorno in cui la ragazza aveva appreso che faceva parte della merce, che veniva ceduta ai nuovi proprietari del negozio, che Labri sarebbe partito senza di lei, Labri di cui credeva di essere l'amante...

Ed Émilienne, sconvolta, aveva preferito suicidarsi! Labri, in preda al panico, l'aveva abbandonata nello scantinato, lasciando ad altri il compito di scoprirne il cadavere!

«Cosa le dicevo?» mormorò Labri con un sorrisetto, contemplando un Maigret avvilito.

Allora il commissario si guardò attorno per essere certo di trovarsi davvero in quel seminterrato, lontano dalla vita e dalle sue leggi.

«Mi sono sbagliato» borbottò. «Capita a tutti!».

E, giacché era comunque un atto doveroso, gli sferrò un pugno in piena faccia. Poi sospirò rasserenato e, vedendo Labri tastarsi un dente che dondolava, commentò:

«Potrai sempre dire che sei caduto dalla scala! È talmente ripida!...».

FINITO DI STAMPARE NEL SETTEMBRE 2012
DA GRUPPO POZZONI

Printed in Italy

GLI ADELPHI

ULTIMI VOLUMI PUBBLICATI:

350. Georges Simenon, *La pazienza di Maigret* (3ª ediz.)
351. Antonin Artaud, *Al paese dei Tarahumara*
352. Colette, *Chéri · La fine di Chéri* (2ª ediz.)
353. Jack London, *La peste scarlatta* (2ª ediz.)
354. Georges Simenon, *Maigret e il fantasma* (4ª ediz.)
355. W. Somerset Maugham, *Il filo del rasoio* (3ª ediz.)
356. Roberto Bolaño, *2666* (3ª ediz.)
357. Tullio Pericoli, *I ritratti*
358. Leonardo Sciascia, *Il Consiglio d'Egitto* (2ª ediz.)
359. Georges Simenon, *Memorie intime* (2ª ediz.)
360. Georges Simenon, *Il ladro di Maigret* (2ª ediz.)
361. Sándor Márai, *La donna giusta* (5ª ediz.)
362. Karl Kerényi, *Dioniso* (2ª ediz.)
363. Vasilij Grossman, *Tutto scorre...* (4ª ediz.)
364. Georges Simenon, *Maigret e il caso Nahour* (5ª ediz.)
365. Peter Hopkirk, *Il Grande Gioco* (3ª ediz.)
366. Moshe Idel, *Qabbalah* (2ª ediz.)
367. Irène Némirovsky, *Jezabel* (4ª ediz.)
368. Georges Simenon, *L'orologiaio di Everton* (2ª ediz.)
369. *Kāmasūtra*, a cura di Wendy Doniger e Sudhir Kakar (2ª ediz.)
370. Giambattista Basile, *Il racconto dei racconti*
371. Peter Cameron, *Un giorno questo dolore ti sarà utile* (10ª ediz.)
372. Georges Simenon, *Maigret è prudente* (3ª ediz.)
373. Mordecai Richler, *L'apprendistato di Duddy Kravitz*
374. Simone Pétrement, *La vita di Simone Weil*
375. Richard P. Feynman, *QED* (4ª ediz.)
376. Georges Simenon, *Maigret a Vichy* (2ª ediz.)
377. Oliver Sacks, *Musicofilia* (3ª ediz.)
378. Martin Buber, *Confessioni estatiche*
379. Roberto Calasso, *La Folie Baudelaire*
380. Carlo Dossi, *Note azzurre*
381. Georges Simenon, *Maigret e il produttore di vino* (4ª ediz.)
382. Andrew Sean Greer, *La storia di un matrimonio* (3ª ediz.)
383. Leonardo Sciascia, *Il mare colore del vino* (2ª ediz.)
384. Georges Simenon, *L'amico d'infanzia di Maigret* (3ª ediz.)
385. Alberto Arbasino, *America amore* (3ª ediz.)
386. W. Somerset Maugham, *Il velo dipinto* (2ª ediz.)
387. Georges Simenon, *Luci nella notte*

388. Rudy Rucker, *La quarta dimensione*
389. C.S. Lewis, *Lontano dal pianeta silenzioso*
390. Stefan Zweig, *Momenti fatali*
391. *Le radici dell'Āyurveda*, a cura di Dominik Wujastyk
392. Friedrich Nietzsche-Lou von Salomé-Paul Rée, *Triangolo di lettere*
393. Patrick Dennis, *Zia Mame* (4ª ediz.)
394. Georges Simenon, *Maigret e l'uomo solitario* (3ª ediz.)
395. Gypsy Rose Lee, *Gypsy*
396. William Faulkner, *Le palme selvagge*
397. Georges Simenon, *Maigret e l'omicida di rue Popincourt* (3ª ediz.)
398. Alan Bennett, *La sovrana lettrice* (3ª ediz.)
399. Miloš Crnjanski, *Migrazioni*
400. Georges Simenon, *Il gatto* (3ª ediz.)
401. René Guénon, *L'uomo e il suo divenire secondo il Vêdânta*
402. Georges Simenon, *La pazza di Maigret* (2ª ediz.)
403. James M. Cain, *Mildred Pierce* (2ª ediz.)
404. Sándor Márai, *La sorella*
405. Temple Grandin, *La macchina degli abbracci*
406. Jean Echenoz, *Ravel*
407. Georges Simenon, *Maigret e l'informatore* (2ª ediz.)
408. Patrick McGrath, *Follia* (2ª ediz.)
409. Georges Simenon, *I fantasmi del cappellaio* (2ª ediz.)
410. Edgar Wind, *Misteri pagani nel Rinascimento*
411. Georges Simenon, *Maigret e il signor Charles* (4ª ediz.)
412. Pietro Citati, *Il tè del Cappellaio matto*
413. Jorge Luis Borges-Adolfo Bioy Casares, *Sei problemi per don Isidro Parodi*
414. Richard P. Feynman, *Il senso delle cose*
415. James Hillman, *Il mito dell'analisi*
416. W. Somerset Maugham, *Schiavo d'amore*
417. Guido Morselli, *Dissipatio H.G.*
418. Alberto Arbasino, *Pensieri selvaggi a Buenos Aires*
419. Glenway Wescott, *Appartamento ad Atene*
420. Irène Némirovsky, *Due*
421. Marcel Schwob, *Vite immaginarie*
422. Irène Némirovsky, *I doni della vita*
423. Martin Davis, *Il calcolatore universale*

Le inchieste di Maigret

VOLUMI PUBBLICATI:

Pietr il Lettone
L'impiccato di Saint-Pholien
La ballerina del Gai-Moulin
Il defunto signor Gallet
Il porto delle nebbie
Il cane giallo
Il pazzo di Bergerac
Una testa in gioco
La balera da due soldi
Un delitto in Olanda
Il Crocevia delle Tre Vedove
Il caso Saint-Fiacre
La casa dei fiamminghi
Liberty Bar
L'ombra cinese
Il cavallante della «Providence»
All'Insegna di Terranova
La chiusa n. 1
La casa del giudice
Maigret
I sotterranei del Majestic
L'ispettore Cadavre
Le vacanze di Maigret
Firmato Picpus
Il mio amico Maigret
Maigret a New York
Maigret e la vecchia signora
Cécile è morta
Il morto di Maigret
Maigret va dal coroner
Félicie
La prima inchiesta di Maigret
Maigret al Picratt's
Le memorie di Maigret
La furia di Maigret
Maigret e l'affittacamere
L'amica della signora Maigret
Maigret e la Stangona

Maigret, Lognon e i gangster
La rivoltella di Maigret
Maigret a scuola
Maigret si sbaglia
Maigret ha paura
Maigret e l'uomo della panchina
La trappola di Maigret
Maigret e il ministro
Maigret e la giovane morta
Maigret prende un granchio
Maigret e il corpo senza testa
Maigret si diverte
Gli scrupoli di Maigret
Maigret e i testimoni recalcitranti
Maigret in Corte d'Assise
Maigret e il ladro indolente
Maigret si confida
Maigret si mette in viaggio
Maigret e il cliente del sabato
Maigret e le persone perbene
Maigret e i vecchi signori
Maigret perde le staffe
Maigret e il barbone
Maigret si difende
La pazienza di Maigret
Maigret e il fantasma
Il ladro di Maigret
Maigret e il caso Nahour
Maigret è prudente
Maigret a Vichy
Maigret e il produttore di vino
L'amico d'infanzia di Maigret
Maigret e l'uomo solitario
Maigret e l'omicida di rue
    Popincourt
La pazza di Maigret
Maigret e l'informatore
Maigret e il signor Charles

GLI ADELPHI
Periodico mensile: N. 424/2012
Registr. Trib. di Milano N. 284 del 17.4.1989
Direttore responsabile: Roberto Calasso